MARCO ⊕ POLO

USA NEUENGLAND
LONG ISLAND

Reisen mit
Insider Tipps

> Neuengland ist Amerika mit
> heruntergefahrenem Lautstärke-
> regler. Auf dem ersten Blick wirkt
> es sehr europäisch, zugleich ist
> diese Gegend die wohl amerika-
> nischste des ganzen Landes.
> *MARCO POLO Autor*
> *Ole Helmhausen*
> (siehe S. 131)

D1082701

**Spezielle News, Lesermeinungen und Angebote zu USA Neuengland/
Long Island:**
www.marcopolo.de/usa-neuengland

USA NEUENGLAND/LONG ISLAND

> SYMBOLE

Insider **MARCO POLO**
Tipp **INSIDER-TIPPS**
Von unserem Autor
für Sie entdeckt

★ **MARCO POLO HIGHLIGHTS**
Alles, was Sie in Neu-
england kennen sollten

☆ **SCHÖNE AUSSICHT**

▶▶ **HIER TRIFFT SICH DIE SZENE**

> PREISKATEGORIEN

HOTELS
€€€ über 130 Euro
€€ 85–130 Euro
€ unter 85 Euro
Die Preise gelten ohne
Steuern für zwei Personen
im Doppelzimmer

RESTAURANTS
€€€ über 40 Euro
€€ 20–40 Euro
€ unter 20 Euro
Die Preise gelten für ein
dreigängiges Dinner ohne
Bedienungsgeld

> KARTEN

[120 A1] Seitenzahlen und
Koordinaten für de
Reiseatlas USA Neu
england und Long
Island

[U A1] Koordinaten für die
Karte von Boston i
hinteren Umschlag

[0] Objekte außerhalb
des Kartenausschn

Zu Ihrer Orientierung sind
auch die Orte mit Koordina
ten versehen, die nicht im
Reiseatlas eingetragen sin

I N HALT

> SZENE

S. 12–15: Trends, Entde-
ckungen, Hotspots! Was
wann wo in Neuengland
los ist, verrät der MARCO
POLO Szeneautor vor Ort

> 24 STUNDEN

S. 98/99: Action pur und
einmalige Erlebnisse in
24 Stunden! MARCO POLO
hat für Sie einen außer-
gewöhnlichen Tag in Bos-
ton zusammengestellt

> LOW BUDGET

Viel erleben für wenig Geld!
Wo Sie zu kleinen Preisen
etwas Besonderes genießen
und tolle Schnäppchen
machen können:

Kostenloses Wasser-Licht-
Spektakel S. 36 | Shake-
speare-Aufführungen gratis
im Park S. 50 | Regionale
Produkte zu Niedrigstpreisen
im Biosupermarkt S. 69 | Mit
dem Postschiff zu den Inseln
S. 81 | Designer-Outlets
unter einem Dach S. 90

> GUT ZU WISSEN

Was war wann? S. 10 | Spe-
zialitäten S. 26 | Der erste
Hamburger S. 39 | Blogs
& Podcasts S. 40 | Bücher &
Filme S. 46 | Süßes Ge-
heimnis S. 74 | Könige der
Wälder S. 82 | Was kostet
wie viel? S. 110

AUF DEM TITEL
Live-Musik in Massachusetts
S. 15
Cape Cod: wandern, baden
und Whale Watching S. 56

ENTDECKEN SIE NEUENGLAND!

Unsere Top 15 führen Sie an die traumhaftesten Orte und
zu den spannendsten Sehenswürdigkeiten

Die Highlights sind in der Karte auf dem hinteren Umschlag eingetragen

 Tanglewood Music Festival
Von Ende Juli bis Anfang August
musiziert das Boston Symphony
Orchestra in herrlich gepflegter Park-
landschaft bei Lenox (Seite 23)

 Indian Summer
Ein unglaubliches Farbenmeer: Die
bewaldeten Litchfield Hills sind Kult für
Blättergucker (Seite 34)

Mashantucket Pequot Museum
Die Geschichte der Ureinwohner
Nordamerikas aus deren Blickwinkel
(Seite 36)

Mansions von Newport
Prächtige Sommerhäuser der
amerikanischen Wirtschaftsbosse des
19. Jhs. (Seite 38)

 Freedom Trail
Ein roter Strich auf dem Bürgersteig
quer durch Boston führt zu den Dreh-
und Angelpunkten der amerikanischen
Unabhängigkeit (Seite 45)

 Cape Cod
Baden und Wandern, Whale Watching
und alte Holzhäuser an der 500 km
langen Küste (Seite 51)

Martha's Vineyard
Herrliche Sandstrände, verträumte
Eichenalleen und schnuckelige Dörfer
(Seite 56)

 Nantucket
Zu Fuß oder mit dem Fahrrad auf
dieser idyllischen, mit langen
Stränden gesegneten Insel (Seite 58)

> DIE BESTEN MARCO POLO HIGHLIGHTS

 Peabody and Essex Museum
Mit fernöstlicher Handelsware, Galionsfiguren und Porträts kühner Kaufleute werden in Salem Zeiten des lukrativen Chinahandels wach (Seite 61)

 Mt. Washington Auto Road
Auf den höchsten Berg im Nordosten der USA: Die Straße bietet einen grandiosen Fernblick und bis zu 30 Grad Temperaturunterschied durch alle Vegetationszonen Neuenglands (Seite 73)

 Franconia Notch
Mit seinen fast senkrecht aufragenden Bergen ist das Granittal ein besonders dramatischer Abschnitt der White Mountains (Seite 73)

 Killington
Im Winter Skilaufen, im Sommer Mountainbiking und Wandern: Die sieben Berge sind Freizeitrevier für jede Altersgruppe (Seite 75)

 Acadia National Park
Neuenglands einziger Nationalpark ist einer der schönsten der USA (Seite 78)

Camden
Die traditionelle Sommerfrische der Bostonians liegt malerisch zwischen Bergen und Meer (Seite 81)

 Wölffer Estate Vineyard
Vor den Toren New Yorks produziert das Weingut Wölffer im satten Grün von Long Island einige der besten Weine der USA (Seite 88)

WAS
FÜR
EINE
REGION!

Lake Winnipesaukee in New Hampshire

> Neuengland! Das klingt anders als das, was man sonst aus Amerika gewohnt ist. Unaufdringlich und leise stellt sich der äußerste Nordosten der USA mit hübschen alten Städtchen, Kunst und Kultur und fortschrittlich gesinnten Menschen vor. Etwa halb so groß wie Deutschland, fasziniert die Region auch durch ihre menschenleere Wildnis in den endlosen Wäldern von Maine oder den rauen White Mountains. Und vor den herrlichen Küsten kreuzen Windjammer und stoßen Wale Atemfontänen aus. Kultur und Natur – Neuengland bringt beides unter einen Hut. Gepflegt und ohne große Umstände. New Englandly eben.

> Unter den vielen Gesichtern Amerikas befinden sich nur wenige, bei denen man europäische Kulturtradition spürt. Das Land der unbegrenzten Möglichkeiten hat sich vollständig von Europa abgenabelt.

Das gilt vor allem für Neuengland, die Region im äußersten Nordosten der USA. Doch gerade dort, wo sich die heutige Supermacht einst zuerst von Europa lossagte, ist das Flair der Gründerzeit nie ganz verschwunden, ist Amerika der Alten Welt am nächsten. Massachusetts, Rhode Island, Connecticut, Vermont, New Hampshire, Maine: Zwischen den Dünenlandschaften von Cape Cod und den Klippen von Maine, den bewaldeten Höhen von Vermont und dem Großstadttrubel von Boston lebt „Good Old England" auf eine stoische Weise weiter.

Neuengland ist dabei mehr als nur ein fein herausgeputztes Freilichtmuseum. Die Region war der Motor jener 13 Kolonien, die sich 1776 von

der britischen Krone lossagten und in einem langen, zähen Krieg Unabhängigkeit und Demokratie erstritten. Und der Geburtshelfer einer Nation, die später zur Supermacht wurde.

Ohne Neuenglands Bildungsindustrie, eine der besten der Welt, und ohne die in Neuengland angestoßene Industrialisierung Amerikas wäre dieser sagenhafte Aufstieg nie möglichgewesen. Es waren Connecticut

> **Der Geist der Puritaner in der Neuen Welt**

und Massachusetts, wo Postkutschen und Revolver gebaut wurden, mit denen der Wilde Westen erschlossen wurde. Es war in Hartford und nicht in Detroit, wo die ersten Autos entstanden, die Amerika mobil machen sollten. Es waren Textilfabriken in New Hampshire und Rhode Island, die das Garn spannen, mit dem die

Freilichtmuseum in Portsmouth: Noch heute bauen die Neuengländer solche Holzhäuser

Nation eingekleidet wurde. Und es waren Atom-U-Boote aus Connecticut, die im Kalten Krieg das militärische Gleichgewicht mit den Sowjets hielten.

Zwar brummt der Motor Amerikas heute im Sonnengürtel des Landes, doch das Energiezentrum von einst steht mit Erfindungen wie dem Internet und Venture Capital bereits mitten im dritten Jahrtausend. Dabei sieht es auf den ersten Blick so aus, als sei in den putzsauberen Städten und Dörfern die Uhr stehen geblieben. Der Eindruck täuscht. Der Geist der wertkonservativen, strebsamen und sparsamen Puritaner hat das amerikanische Wertesystem grundlegend geprägt. Die von ihnen schon früh mit Colleges und Universitäten gepflegte Kultur des kritischen Denkens mündete später in eine glückliche Ehe von Traditionsbewusstsein und progressiver Umwelt- und Sozialpolitik.

Neuengland ist eine Region mit ausgeprägtem „Wir"-Gefühl. Noch immer bauen die Neuengländer Holzhäuser, und zwar am liebsten im Stil der vergangenen Jahrhunderte. Dabei konservieren sie lieber anstatt abzureißen und kümmern sich um den Erhalt und Ausbau von Museen, Konzerthäusern und Theatern. Als traditionelle Erholungslandschaft reicher Städter aus Boston oder New York (das nicht zu Neuengland gehört) hat diese Region nie ihren ursprünglichen Charakter eingebüßt. Shoppingmeilen und Motelalleen bestätigen eher die Ausnahme von der Regel.

> **Furiose Farbenpracht im Indian Summer**

Die Küstenstädte besitzen eine reiche Vergangenheit. Überseehandel, vor allem mit China, und Walfang produzierten hier die ersten Millionäre der USA. Heute pflegt man mit viel Geschmack die alten Piers, Lagerhäuser und Straßenzüge. Das Bild allerdings, das sich spontan bei Neuengland aufdrängt, besteht aus den Dörfern im Landesinneren – mit weißen Holzkirchen, stattlichen Wohnhäusern, dem *General Store* für die Dinge des täglichen Bedarfs, dem *Town Hall* genannten Rathaus und dem zentralen *Green,* einem Rasen mit Schatten spendenden Bäumen in der Mitte. Der Charme dieser Ortschaften wird noch gesteigert, wenn Ahorn, Birken, Eichen und Hickory den sogenannten Indian Summer beginnen. Die Siedler nannten so die kurze Wärmeperiode nach dem ersten Frost, in der sie noch einmal mit

1000 Wikinger aus Grönland erreichen möglicherweise Cape Cod

1614 Kapitän John Smith nennt die Küste zwischen Maine und Virginia „New England"

1620 Ankunft der Puritaner, der sogenannten Pilgerväter, auf der *Mayflower* in Plymouth

1630 Boston wird gegründet, gefolgt von Hartford (1635) und Providence (1636)

1634–37 Im Pequotkrieg vernichten Siedlermilizen das Volk der Pequot in Connecticut

1675–76 Im King Philip's War werden die Indianer im Süden Neuenglands vernichtet. Im Norden Unterwerfung der letzten freien Ureinwohner

1776 Die amerikanischen Kolonien erklären ihre Unabhängigkeit von Großbritannien

1783 Großbritannien erkennt die Unabhängigkeit der USA an. General George Washington wird erster US-Präsident

1840 Höhepunkt des Walfangs und Blütezeit des Überseehandels

1845 Zehntausende irischer Einwanderer kommen nach Neuengland

1861–65 Bürgerkrieg: Neuengland wird die Waffenschmiede der Nordstaaten

1960 Der Bostoner Senator John F. Kennedy wird US-Präsident

2003 Die Regierung von Maine stimmt gegen einen Krieg mit Irak

2008 Anerkennung gleichgeschlechtlicher Lebensgemeinschaften in Neuengland (außer Rhode Island)

Indianerüberfällen rechnen mussten. Heute allerdings steht der Indian Summer nur für einen prachtvollen Farbenrausch: Nirgendwo sonst auf der Welt produziert der Rückgang des Chlorophylls in den Blättern und die Ausbreitung der übrigen Farbpigmente eine solche Farbenpracht wie in Neuengland. Touristisch ist dies die fünfte Jahreszeit: Die Hotels sind trotz verdoppelter Zimmerpreise voll.

Erst vor 10 000 Jahren gab die letzte Eiszeit dem Gebiet den letzten Schliff. Die Höhenzüge der White und Green Mountains und der Taconic Range überragen eine Region, die vom 600 km langen Connecticut River von Nord nach Süd halbiert und an der zerlappten Küste von tiefen Buchten und Abertausenden Inseln und Schären zerschnitten wird.

Dort, wo 1614 mit der Namensgebung durch einen britischen Kapitän und 1620 mit der Landung der *Mayflower* mit ihren Pilgervätern die Neue Welt begann, leben heute mehr als 14 Mio. Menschen. Zu ihnen gehören jene, die sich als die einzig wahren, angestammten Yankees betrachten. Yankees halten die traditionellen Werte Neuenglands hoch: Fleiß, praktische Veranlagung, Bescheidenheit und die Begabung, aus allem das Beste zu machen. Längst verstehen sich auch die Nachkommen katholischer Einwanderer aus Irland, Italien und dem französischsprachigen Teil Kanadas sowie Skandinavier und Juden aus Osteuropa auf diesen Yankeestolz, der in den einzelnen Neuenglandstaaten in unterschiedlichen Nuancen existiert.

Zum Beispiel bei den Connecticut Yankees, die sich einst als Handelskaufleute einen Namen machten und heute noch landesweit die meisten Patente pro Kopf der Bevölkerung besitzen. Oder bei den Maine Yankees, denen man nachsagt, dass sie kein Wort zu viel in den Mund nehmen. Oder bei den Massachusetts Yankees, bei denen die Abstammung sieren, besonders nicht, wenn er Einsamkeit, raues Klima, leere Strände, frischen Hummer und das Farbenfurioso des Indian Summer sucht. Aber jeder spürt, dass ohne die Menschen, die hier leben, ohne den guten alten Neuenglandgeist, ohne dieses Be-

Saftiges Grün in sanfter Hügellandschaft: Sommer in den Berkshires

kein Wort zu viel in den Mund nehmen. Oder bei den Massachusetts Yankees, bei denen die Abstammung

> Raues Klima und frischer Hummer

von der „richtigen" Familie angeblich noch immer die Türen öffnet.

Wer nach Neuengland fährt, mag sich für all das nicht gleich interes-

wusstsein, dass Holz schöner ist als Plastik, Zurückhaltung wohltuender als Marktschreierei und langfristige Investitionen besser sind als schnelle Profite, die bloße Natur nichts anderes wäre als ein nördliches Disneyland. Nichts läge Neuengland, dem Landstrich, der von seinen Fans gern das bessere Amerika genannt wird, ferner. Ein Besuch Neuenglands ist eine Reise in eine andere Zeit, die – vielleicht – den USA den Weg in eine bessere Zukunft weist.

▶▶ TREND GUIDE NEUENGLAND

Die heißesten Entdeckungen und Hotspots! Unser Szene-Scout
zeigt Ihnen, was angesagt ist

Vivien Fischer

ist Reiseredakteurin – ihr Spezialgebiet die
USA. Ganz klar, dass sie mehrmals im Jahr dort
unterwegs ist, um die neuesten Trends aufzu-
spüren. Ein Stopp in Neuengland ist dabei
Pflicht. Ihr Lieblingsort? Boston – wegen der
immer neuen Restaurants, hippen Boutiquen
und lebendigen Musikszene. Was unseren
Szene-Scout an Neuengland so fasziniert? Der
interessante Mix aus Tradition und Moderne.

▶▶ HYBRIDKONZEPTE

Der Mix macht's

Die Region setzt auf multifunktionale
Shopkonzepte wie das *Achilles Pro-
ject.* Tagsüber eine Designer-Bou-
tique, wird es abends zum Restaurant.
Die Wände zieren Kunstwerke von lokalen Talenten *(283 Summer St., Boston, MA, www.achilles-project.com).*
Von außen sieht *Aladdins Auto Service*
aus wie eine normale Werkstatt, innen gibt's neben Hebebühne und
Motorenöl auch Metallskulpturen zu
bewundern *(162 Alewife Pkwy., Cambridge, MA, www.mrkart.com,* Foto).
In der Galerie-Boutique *Magpie*
shoppt man Wohndeko, Schmuck oder
Vogelhäuser. Auf dem Programm stehen auch Kunstevents mit lokalen
Künstlern und Kurse in Quiltmaking &
Co. *(416 Highland Ave., Somerville,
MA, www.magpie-store.com).*

ISZENE

▶▶ URBAN BIKE POLO

Trendsport auf zwei Rädern

Die urbane Variante des Elitesports Polo erobert die Städte. Statt auf Pferden wird *Urban Bike Polo* auf dem Fahrrad gespielt. Der Vorteil: Man braucht keine teure Ausrüstung. Neben Helm und Bike sind nur ein Ball und ein Schläger nötig. Gespielt wird fünf gegen fünf auf Basketball- oder Streethockeyfeldern wie dem *Porrazzo Rink (165 Coleridge St., Boston, MA)* oder auf Parkplätzen *(Orange St., New Haven, CT, www.myspace.com/newhavenbikepolo)*. Infos über Bike Polo und Termine in Boston unter *www.bostonbikepolo.bostonbiker.org*.

▶▶ POMMES IM GOURMETTEMPEL

Fastfood trifft Gourmet

Viele Restaurants Neuenglands besinnen sich auf typisch amerikanisches Fastfood wie Pommes frites und peppen es mit Gourmet-Zutaten auf wie ausgefallene Frittieröle, Gewürze und Toppings. Chefkoch Jaron Rockwell vom *Rockwell Restaurant* frittiert seine dünnen, langen Pommes auf die altmodische Art in Schweineschmalz, bevor er sie in Trüffelöl schwenkt. Serviert werden sie mit Knoblauch-Crème-fraîche oder Zitronen-Aioli *(353 Main St., New London, NH, www.newlondoninn.us)*. Die Pommes im *L'Andana* werden mit Trüffel und Parmesan verfeinert *(86 Cambridge St., Burlington, MA, www.landanagrill.com, Foto)*. Polenta Fries mit Chili, Parmesan und Salbei sind der Hit im *Garden at the Cellar (991 Massachusetts Ave., Cambridge, MA, www.gardenatthecellar.com)*.

▶▶ GRÜNE FLOTTE

Ökoautos sind im Kommen

Dank der Initiative *Boston CleanAir Cabs* wird die komplette Taxiflotte der Stadt Boston bis 2015 auf Hybrid umgestellt. Die ersten Taxen sind bereits unterwegs und an den grünen Streifen erkennbar. Umweltfreundlich zum Flughafen oder Geschäftstermin geht's mit dem Limoservice *Planettran* in Boston *(www.planettran.com, Foto)*.
Stilecht unterwegs ist man in New Jersey mit der komplett grünen Flotte des *Greenfleet Car Service*, darunter Hybrid-SUVs und Limousinen *(www.greenfleetcarservice.com)*. Auch bei *Metro Taxi* in West Haven, CT, *(www.metrotaxict.com)* und bei *Schooner Bay Taxi* in Rockland, ME, *(www.schoonerbaytaxi.com)* wurden erste Hybridtaxen eingeführt.

▶▶ NEUENGLANDS DESIGN

Stil und Individualität

Mit individuellen Ideen schwimmen Neuenglands Designer gegen den Strom. Der Shootingstar ist Sam Mendoza mit seinem Label *JeTom Couture*. Seine Kleider aus Vintage-Materialien sind feminin und topaktuell *(www.get jetom.com)*. Modefans finden seine Designs in der hippen Boutique *Stil*, in der Mendoza auch arbeitet *(170 Newbury St., Boston, MA, www.stilinc.com)*. Designerin Meichi Peng steht für Luxushandtaschen aus Leder mit handgestickten Nähten, die sie in ihrem Studio anfertigt und verkauft *(450 Harrison Ave., Studio 305, Boston, MA, www.meichipeng.com, Foto)*.

▶▶ NEUE HOTELS

Erschwinglich und modern

Die neue Generation von Budgethotels punktet mit Loft-Feeling, Nachhaltigkeit, Lounge-Areas und modernen Möbeln. So ist das Zentrum des *Aloft* die Lobby, die als offene Lounge mit beque-

men Möbeln und Billardtisch gestaltet ist *(727 Marrett Rd.-A, Lexington, MA, www.alofthotels.com, Foto)*. Umweltfreundliches Design in hellen Farben und klaren Linien dominieren im *Element Lexington (727 Marret Rd., Lexington, MA, www.starwoodhotels.com/element)*. Loft-Ambiente herrscht dank Backsteinwänden auch im *NYLO (400 Knight St., Warwick, RI, www.nylohotels.com/Warwick)*.

▶▶ SZENE

▶▶ HIPPES MAKEOVER

Boston wird cool

Nach 25 Jahren ist der *Big Dig* endlich abgeschlossen. Nachdem die sechsspurige Autobahn, die quer durch die Stadt führte, in den Untergrund verlegt wurde, ist jetzt viel Platz: Nicht nur Parks wie der *Rose Kennedy Greenway* entstehen (*www.rosekennedygreenway. org,* Foto), auch Museen sind im Bau, und die angrenzenden Gegenden werden zum Anziehungspunkt für die Szene. Kein Wunder, schließlich eröffnen immer mehr stylishe Hotels, Restaurants, Galerien und Shops. Das Resultat? Das puritanische Boston wird hip. Zu den Hotspots zählen die schicke Brasserie *Sel de la Terre* direkt am Park (*255 State St., www.sel delaterre.com*) und das *Liberty Hotel* in einem ehemaligen Gefängnis (*215 Charles St., www. libertyhotel.com*).

▶▶ ROCK IS BACK

Indie-Sounds

Nach dem Elektro-Hype feiert die Rockmusik ein Revival. Mit ihrer erfrischenden Mischung aus Rock, Blues und Country begeistert die Band *Drug Rug* aus Cambridge ihre Fans (*www.myspace.com/ drugrugdude,* Foto). Heiter wird's bei den Folk-Rock-Sounds von *Mean Creek* (*www.myspace.com/me ancreek*) aus Boston. Die beste Adresse, um Talente

kurz vor dem Durchbruch live auf der Bühne zu sehen, ist das *Great Scott* (*1222 Commonwealth Ave., Allston, MA, www.greatscottboston.com*). Auch *T. T. The Bear's Place* ist ein heißer Tipp für Live-Gigs (*10 Brookline St., Cambridge, MA, www.ttthebears.com*).

14 | 15

> INDIAN SUMMER MEETS IVY LEAGUE

Zwischen Naturidyll und Eliteuniversitäten: Neuengland pflegt seinen ganz eigenen Stil

ARCHITEKTUR

Endlose Kiefernwälder haben Neuengland stets im Überfluss mit Holz als Baumaterial versorgt. Bis 1700 dominierten einfache Häuser mit steilen Dächern und kleinen Fenstern, die sogenannten *saltboxes*. Sie erinnern an die Form damaliger Salzbehälter. Mit zunehmendem Wohlstand wurden sie von größeren Residenzen mit Säulenvorbauten abge-

löst, dem Georgian Style. Es folgte der Federal Style mit detailverliebter Formensprache und balustradengesäumten Flachdächern, bis um 1830 das antike Griechenland modern wurde: Strahlend weiße Häuser mit Säulenfronten lösten die vorherrschenden Rot- und Gelbtöne ab.

Danach kamen und gingen die Baustile von der französischen Gotik über den Queen Ann Style bis zum Second Empire, bis im 20. Jh. die Er-

Bild: Kennebunk-Weddingcake-House in Maine

STICH WORTE

findung des Stahlgerüsts neue Horizonte eröffnete. In den 1920er-Jahren wurden in Boston die ersten Hochhäuser gebaut. In anderen Großstädten Neuenglands wie Hartford oder Providence zog man erst dann Bürotürme hoch, als die Postmoderne mit verspielten Formen und Zitaten klassischer Stilelemente aufkam. Ein Blick auf Boston zeigt die Architektur der Zukunft. Das neue *Institute of Contemporary Art* in Boston ist ein dekorloser, funktionaler Glaskasten im Stil des Neomodernismus.

GREENS

Greens sind typisch für Neuengland. Viele Orte haben im Zentrum diesen meist rechteckigen, fein säuberlich begrünten Platz, der von Kirche, *Meeting House* und Häusern im Kolonialstil gesäumt wird. Oft ziert diese Grünfläche ein Denkmal oder ein Pavillon für Konzerte oder andere öffentliche Veranstaltungen. Allerdings war der Green nicht immer grün. Sein zweiter Name *common* weist deutlicher auf seinen Ursprung hin. Denn die frühen englischen Siedler bauten ihre Dörfer in der Neuen Welt nach ihrer Erinnerung an das alte England. Dort wurde der

HUMMER UND HEIDELBEEREN

Neuenglands Tier- und Pflanzenwelt ist Teil jener Vegetationszone, die sich als riesiger Waldgürtel ursprünglich quer über den gesamten nordamerikanischen Kontinent ausgebrei-

Traditionelle Bemalung: Die Ureinwohner Neuenglands sind heute eine Minderheit

sandige Platz von der Allgemeinheit als Viehweide und Versammlungsort benutzt. In Neuengland kam ein weiterer Aspekt hinzu: Ein Dorf, das sich um einen Common gruppierte, war bei Indianerangriffen leichter zu verteidigen. Erst nach 1800 begannen die Stadtväter, den zertrampelten, oft schlammigen Platz zu verschönern und zu einem Markenzeichen Neuenglands zu machen.

tet hat. Darin leben Elche und Schwarzbären, Biber und Stinktiere, Weißwedelhirsche und Waschbären. Im kalten Wasser des Atlantiks findet man neben den begehrten Krustentieren wie Hummer vor allem Seehunde sowie verschiedene Delphin- und Walarten. Über Neuengland führt eine der amerikanischen Vogelfluglinien, weshalb im Frühling und Herbst mehr als 400 Arten, darunter die Kanadagänse, die Landschaft überfliegen. 2000 Blumen- und Farnarten sind in der Region heimisch. Wild blühen Rhododendron, Hartriegel und Kalmie. Heidelbeeren (in Maine) und Preiselbeeren (in Massachusetts) haben sich gar zu einem Wirtschaftsfaktor entwickelt.

INDIANER

Die Ureinwohner Neuenglands gehörten überwiegend zur Algonquin-Sprachfamilie und siedelten als halbsesshafte Bauern vor allem im Süden der Region. Heutzutage sieht man so gut wie nichts mehr von den einstigen Herren des Landes. Hauptgrund: der Landhunger der weißen Siedler. Der Anfang vom Ende der Indianer Neuenglands war der Pequotkrieg (1634–37), der ein ganzes Volk eliminierte, während der von beiden Seiten grausam geführte King Philip's War (1675/76) weite Teile Neuenglands verwüstete und mit der kompletten Enteignung und Entrechtung der wenigen überlebenden Ureinwohner endete. Im 19. Jh. erklärte die US-Regierung alle Indianer der Region je nach ihrer Hauttönung für weiß oder schwarz und beendete damit offiziell auch die Existenz der neuenglischen Indianer.

Wie viele Indianer heute noch in Neuengland leben, ist eine Frage der Definition. Neben einigen Tausend offiziell anerkannten Indianern, die in Reservaten leben, gibt es mehrere Zehntausend Menschen, die um ihre staatliche Anerkennung kämpfen. Seit Mitte der 1980er-Jahre die Wampanoag als Stamm anerkannt wurden, Land erhielten und die Genehmigung, das Foxwoods Casino Resort darauf zu bauen, erleben die Indianer Neuenglands eine wunderbare Wiedergeburt. Bis dahin als ausgestorben geltende Stämme tauchen plötzlich wieder auf, Menschen, die eindeutig weiß, schwarz oder hispanisch aussehen, veranstalten Pow Wows und Regentänze. Das Gute: Die tragische Geschichte der Indianer Neuenglands, oft beschönigt und unter den Tisch gekehrt, wird derzeit völlig neu geschrieben.

INDIAN SUMMER

Neuengland ist für seine Laubbäume berühmt, deren Blätter sich im September und Oktober von Nord nach Süd verfärben – ein Farbspektakel aus Ahorn, Birke, Eiche, Buche und Hickory, durchmischt mit Kiefern und anderen Nadelhölzern. Inzwischen ist der Indian Summer zum Synonym für Neuengland geworden. Die Gegenden, in denen das Naturschauspiel am schönsten ausfällt, sind die Berkshires in Westmassachusetts und Nordwestconnecticut sowie die Berglandschaften von New Hampshire (White Mountains) und Vermont (Green Mountains). Über den Stand der Blätterfärbung und die besten Stellen können Sie sich ab dem Spätsommer informieren (z. B. beim *www.yankeemagazine.com*).

IVY LEAGUE

An den 250 Colleges und Universitäten Neuenglands sind etwa 800 000 Hochschüler eingeschrieben. Nicht nur die Eliteunis der *Ivy League* (Efeuliga), darunter die traditionsrei-

Kostspielig: Studium an der Eliteuni Harvard

MOXIE

Was meint der Fernsehkommentator bloß, wenn er sagt, Venus Williams habe auf dem Tennisplatz *moxie* gezeigt? Neuengländer wissen es: Courage, Optimismus, kurz: Stehaufmännchenqualitäten. Amerikas erste landesweit verkaufte Limonade hieß nicht Coca-Cola, sondern Moxie. Erfunden wurde der braune Sprudel 1884 in Lowell (Massachusetts), zeitweilig ging er häufiger über den Ladentisch als Coca-Cola. Mit kreativen Werbekampagnen bereitete Moxie der modernen PR den Weg. Heute wird es nach langer Talfahrt wieder in den *General Stores* verkauft. Wer es trinkt, muss tatsächlich *moxie* haben: Das Zeug schmeckt wie Hustensaft mit Meerrettich.

POLITIK

In den Neuenglandstaaten wird traditionell demokratisch gewählt. Einige sind besonders liberal: Vermont betrieb als erster US-Bundesstaat eine grüne Umweltpolitik, Connecticut erlaubt die Abtreibung. 2004 durften in Massachusetts die ersten gleich geschlechtlichen Paare heiraten. Eine Spezialität Neuenglands sind die *town meetings:* Dort entscheiden die Bürger wie vor 200 Jahren selbst über kommunale Angelegenheiten.

PURITANISMUS

Da die Puritaner in England wegen ihrer Kritik an der Church of England unterdrückt wurden, zog die Aussicht auf unbesiedeltes Land viele von ihnen nach Amerika, wo sie ihre eigene

chen Colleges Harvard, Yale und Dartmouth, locken Lernwillige aus allen Teilen der USA an. Manche Kleinstadt lebt von den Bildungseinrichtungen, die meist privat sind und horrende Studiengebühren verlangen. Allein im Großraum Boston werden die Einnahmen in diesem Bereich auf etwa 2 Mrd. Dollar pro Jahr geschätzt.

> www.marcopolo.de/usa-neuengland

dogmatische Wertewelt aus Gottes-furcht und bußfertiger Moral auf-bauen konnten. Staat und Kirche bil-deten eine Einheit, Bildungseifer und ein gottgefälliges Streben nach Reichtum gehörten zu den Grund-prinzipien. So wichtig die eigene Glaubensfreiheit den Puritanern war, so radikal war ihre Intoleranz gegen-über Andersgläubigen: Quäkern, Ka-tholiken oder Juden. Sie reichte bis zu Verfolgung, Vertreibung und Ver-nichtung. Die Grundwerte puritani-scher Lebensweise – der Glaube an die göttliche Vorsehung und Auser-wähltheit sowie der Glaube, dass je-der seines Glückes Schmied sei – ha-ben sich bis heute gehalten, beson-ders innerhalb der alten Oberschicht, der *WASPs (White Anglo-Saxon Pro-testants)*. Die Einwanderung katholi-scher Immigranten seit den 1840er-Jahren beendete die politische und kulturelle Vorherrschaft der WASPs.

Heute sind mehr als die Hälfte der Einwohner Neuenglands katholisch.

WIRTSCHAFT

Der Tourismus blüht nicht nur im In-dian Summer, im Sommer kommen Wasserfreunde, Wanderer, Radfahrer und Kanuten, selbst im Winter zieht Neuengland Gäste in die schneesi-cheren Skigebiete von Vermont und New Hampshire. Dagegen sind Land-wirtschaft und Fischerei, Neuueng-lands traditionelle Erwerbszweige, rückläufig. Nur Vermont verfügt noch über eine leistungsfähige Milchindus-trie, während Maine mit dem Hum-merfang gute Umsätze macht. Die Industrie lebte viele Jahre von gro-ßen Rüstungsaufträgen – auch ein rückläufiger Posten. Zugleich hatten sich Großbanken und Versicherungs-unternehmen im jahrelang boomen-den Immobilienmarkt verspekuliert.

> DAS KLIMA IM BLICK
Handeln statt reden   atmosfair

Reisen bereichert und verbindet Menschen und Kulturen. Jedoch: Wer reist, erzeugt auch CO_2. Dabei trägt der Flugverkehr mit bis zu 10 % zur globalen Erwärmung bei. Wer das Klima schützen will, sollte sich so-mit nach Möglichkeit für die schonendere Reiseform (wie z.B. die Bahn) entscheiden. Wenn keine Alternative zum Fliegen be-steht, so kann man mit *atmosfair* handeln und klimafördernde Projekte unterstützen.

atmosfair ist eine gemeinnützige Klima-schutzorganisation.

Die Idee: Flugpassagiere spenden einen kilometerabhängigen Beitrag für die von

ihnen verursachten Emissionen und finan-zieren damit Projekte in Entwicklungslän-dern, die dort helfen den Ausstoß von Klimagasen zu verringern. Dazu berechnet man mit dem Emissionsrechner auf *www.atmosfair.de* wie viel CO_2 der Flug produziert und was es kostet, eine ver-gleichbare Menge Klimagase einzusparen (z.B. Berlin–London–Berlin: ca. 13 Euro). *atmosfair* garantiert, unter der Schirmherr-schaft von Klaus Töpfer, die sorgfältige Verwendung Ihres Beitrags. Auch der MairDumont Verlag fliegt mit *atmosfair*.

Unterstützen auch Sie den Klimaschutz:
www.atmosfair.de

WENN DIE ELCHE KOMMEN

Neuengland in Feierlaune: mit Windjammerparaden,
Musikfestivals und Schafscherwettbewerben

> In Neuengland wird immer irgend-
etwas gefeiert. Jeder Bundesstaat hat
neben den nationalen seine eigenen Feiertage. Und neben national renommierten Kulturereignissen werden auf lokaler
Ebene ungezählte Volksfeste gefeiert.

NATIONALE FEIERTAGE

1. Jan. *New Years Day* (Neujahr); **15.
Jan.** *Martin Luther King Jr's Birthday;*
Dritter Montag im Februar *President's
Day;* **März/April** *Easter Monday* (Oster-
montag); **Letzter Montag im Mai** *Memo-
rial Day* (Heldengedenktag, Beginn der
Sommersaison); **4. Juli** *Independence
Day* (Unabhängigkeitstag); **Erster Mon-
tag im September** *Labor Day* (Tag der
Arbeit, Ende der Sommersaison); **Zwei-
ter Montag im Oktober** *Columbus Day*
(Entdeckung Amerikas); **11. Nov.** *Vete-
rans' Day* (Tag der Kriegsveteranen);
Vierter Donnerstag im November
Thanksgiving (Erntedankfest); **25. Dez.**
Christmas Day (Weihnachten)

REGIONALE FEIERTAGE

12. Feb. *Abraham Lincoln's Birthday*
(Vermont, Maine); **Erster Dienstag im
März:** *Town Meeting Day* (Vermont);
Letzter Montag im April *Fast Day*
(Katholischer Fastentag in New Hamp-
shire, Maine); **Am Montag, der dem 19.
April am nächsten liegt** *Patriot's Day*
(Massachusetts, Maine); **20. Mai** *Lafa-
yette Day* (Gedenktag zu Ehren des
französischen Generals, Massachusetts);
Zweiter Montag im August *Victory Day*
(Rhode Island); **16. Aug.** *Bennington
Battle Day* (Vermont)

FESTE UND VERANSTALTUNGEN

Januar/Februar
Winterkarneval in Jackson (New Hamp-
shire, *www.jacksonnh.com*) und Stowe
(Vermont, *www.stowecarnival.com*) mit
Eisskulptur- und Skiwettbewerben

April
Am dritten Montag des Monats treffen
sich in Boston Hunderttausende aus

> EVENTS
FESTE & MEHR

aller Welt zum berühmten *Boston Marathon (www.bostonmarathon.org)*.

Mai/Juni

Bis Mitte Juni zieht es in Maine die Elche aus den Wäldern auf die Straßen. Greenville feiert *Moose Mania* mit Elchbeobachtungstouren und Spaßwettbewerben auf dem Lake Moosehead.

Juni

Ende Juni in Boothbay Harbor (Maine): *Windjammer Days* mit einer Parade herrlicher alter Segelschiffe
Bis Ende August: *Berkshire Theatre Festival* in Stockbridge (Massachusetts)

Juli

Hummer, Livemusik und die schönsten historischen Segelschiffe der Ostküste: Am zweiten Wochenende feiert Rockland (Maine) die *Schooner Days*.
Ende Juli bis Anfang August: Die Bostoner Sinfoniker spielen in Lenox (Massachusetts) beim ★ *Tanglewood Music Festival,* einem der berühmtesten

Musikevents der USA *(www.tangle wood.org)*.

August

Das *Maine Lobster Festival* zieht am ersten Wochenende Zehntausende hungriger Besucher nach Rockland (Maine). In Haddam feiern die Ureinwohner Connecticuts während der dritten Woche mit dem *Native American Festival* ihr Kulturerbe.

September

An das Vermont aus Omas Zeiten erinnert am zweiten Wochenende nach dem Labor Day mit Schafscherwettbewerben und manueller Käseherstellung die *Tunbridge World Fair* in Tunbridge.

Insider Tipp

Oktober

Halloween verhext ganz Salem (Massachusetts). Bei den *Haunted Happenings* werden Ende des Monats u. a. Führungen durch Spukhäuser angeboten.

> LOBSTER ÜBER LOBSTER

Neuenglands Hummer sind berühmt. Auch regionale Gemüse,
Wildbret und Fisch werden phantasievoll zubereitet

> Neuengland ist seiner 400-jährigen Ge-
schichte verpflichtet – auch in der Küche.
Angefangen beim Hummer, der bis heute
als *lobster* die Speisekarten entlang der
Küste dominiert, bis hin zu den in unge-
zählten Variationen servierten, gedeckten
Kuchen namens *pie*.

Allerdings – Gourmets seien vorge-
warnt – schimmert auch in der neuenglischen Küche das puritanisch-
englische Erbe durch. Kein Wunder:
Essen war für die kulinarisch an-
spruchslosen Puritaner mehr Funk-
tion als Genuss, und auch in der Prä-
sentation waren sie nicht zimperlich.
Dafür sind noch heute die Mengen
ordentlich, und der Geschmack ist
deftig – ganz wie es das harte Sied-
lerdasein vor 300 Jahren erforderte.

Inzwischen hat die gute alte New
England Cuisine allerdings vielerorts
dem Zeitgeist Tribut gezollt: Was zur
Kolonialzeit auf den Tisch kam, gibt
es heute nur noch im privaten Kreis

Bild: Restaurant am Bowen's Wharf in Newport

ESSEN & TRINKEN

und in spezialisierten Restaurants. Vor allem der Hummer hat eine erstaunliche Metamorphose hinter sich. Um 1900 galt er noch als Arme-Leute-Essen und wurde von den Bauern als Dünger verwendet. Heute ist er eine Delikatesse. Für Kreationen wie den *Lobster Cocktail* oder *Baked Stuffed Maine Lobster* muss man tief in die Tasche greifen.

Parallel zur New England Cuisine ist auch die sogenannte All American Cuisine weit verbreitet. Für Kalorienbewusste ist sie nichts, doch der Preis stimmt, und Salate, Müsli- und Pastagerichte sind jederzeit bestellbare Alternativen. Zum Frühstück gibt es Eier, und zwar *scrambled* (Rührei), *sunny side up* (Spiegelei), *over-easy* (überbackenes Spiegelei) oder *poached* (gekochtes Ei). Immer mit dabei: der unvermeidliche Toast, kleine, mit Ahornsirup *(maple sirup)* gesüßte Pfannkuchen *(pancakes),*

Schinken *(ham)*, Speck *(bacon)* und Bratkartoffeln *(home fries)*. Der Kaffee wird endlos nachgeschenkt *(refill)*. Zum Lunch gibt es oft nur einen schnellen Imbiss, meist ein Sandwich mit Thunfisch, Hühnchen, Schinken und/oder Käse. Dafür wird zum Dinner umso mehr vertilgt. Stammplätze auf jeder Speisekarte haben Steaks, Burger, Hühnchen, Schweinekoteletts und Würste. Die Beilagen bestehen meist aus Kartoffeln, entweder als Brei *(mashed potatoes)*, Pommes frites *(fries)* oder gebacken *(baked potatoes)* serviert, und Gemüse (Karotten, Bohnen, Gurken, Tomaten).

> SPEZIALITÄTEN
Genießen Sie die typisch neuenglische Küche!

Baked Stuffed Maine Lobster – mit Seafood und Fisch gefüllter Hummer, der mit Käse überbacken wird (Foto)

Bay Scallops – die Kammmuscheln aus der Cape Cod Bay sind eine Delikatesse

Boston Baked Beans – das Rezept für die braunen, langsam in Melasse oder in Ahornsirup und Speck ziehenden Bohnen stammt von den Ureinwohnern

Clam Chowder – dicke, weißliche Suppe aus Zwiebeln, Knoblauch, Mehl, Milch, Kartoffeln, Muscheln oder Fisch

Clams – Venusmuscheln, in Knoblauchsaft zubereitet und mit Weißwein und Pommes frites serviert, sind in der jugendlichen Bistroszene beliebt

Indian Pudding – warmer Nachtisch aus Maismehl, Melasse und Zimt

Lobster Roll – Hummerfleisch mit Butter und Mayonnaise auf frischem Brötchen

Maine Boiled Lobster – das klassische Hummergericht der Küste, erhältlich in allen Hummerimbissen *(Lobster Shacks* oder *Lobster Pounds)* an der Straße. Der gepanzerte Rambo kocht in einem Sud aus Wasser, Zitronensaft, Petersilie und Thymian. Serviert mit Butter und Weißwein

New England Boiled Dinner – Schmortopfgericht aus Rindfleisch, Gewürzen und Gemüsen aus Siedlertagen, das traditionell am Montag zubereitet wurde

Pies – gedeckter Mürbteigkuchen, wahlweise mit Zimt und Apfelmus *(apple pie)*, Kirschen *(cherry pie)*, Blaubeeren *(blueberry pie)* usw. Die berühmte, mit Schokoladenstreusel verzierte *Boston Cream Pie* ist eine Sünde aus Eiercreme und Vanillesoße

Swordfish, Tuna, Bass, Halibut – die beliebtesten Speisefische aus dem Atlantik kommen fangfrisch auf den Tisch. Gebraten oder gebacken, werden sie höchstens mit etwas Zitrone angemacht

Die Bedienung zeichnet sich durch Servicedenken aus. Wie wünscht man seinen Toast, *white* oder *brown*? Welches Dressing zum Salat darf es sein? *Italian*, *French* oder *Blue Cheese* (mit Schimmelkäse)? Will man das Steak gut durch *(well done)*, halb durch *(medium rare)* oder blutig *(rare)*? Den Nachtisch beherrschen Eisbecher, Kuchen und Puddings.

Die All American Cuisine dominiert vor allem das preiswerte Segment der Fastfoodimbisse, Pubs, Diner und Family Restaurants. Als Alternative bieten sich die oft hervorragenden ethnischen Spezialitätenrestaurants an. Die bis heute anhaltende Gesundheits- und Fitnesswelle und die Entdeckung organisch angebauter Produkte aus der eigenen Region taten ein Übriges, um die anspruchslose Esskultur der Amerikaner auf ein höheres Niveau zu bringen. So wurden während der letzten 20 Jahre vor allem in Boston, Newport, Providence, den White Mountains und in den Berkshire Hills Restaurants eröffnet, die sich der Fusion verschiedenster Küchentraditionen verschrieben haben.

Die immer häufiger *regional cuisine* genannte neue Küche kennt nur zwei Gesetze: Was auf den Teller kommt, muss appetitanregend aussehen und gut schmecken. Dabei kombinieren ideenreiche Küchenchefs asiatische Gewürze mit der kalifornischen Vorliebe für Zitrusfrüchte und Anleihen aus der französischen Nouvelle cuisine. Und verfeinern damit Wildbret, Fisch, Hummer, Obst und Gemüse aus der Region. Das *New England Culinary Institute* bei Burlington (Vermont)

unterstützt mit der Ausbildung der besten amerikanischen Nachwuchsköche diese Entwicklung. Auch beim Alkohol hat sich viel getan. Die Dünnbierzeiten sind vorbei. Viele Kleinbrauereien *(micro breweries)* haben den Megabrauereien Marktan-

Gekochter Hummer direkt aus dem Topf

teile abgejagt. Fragen Sie im Restaurant nach dem *local brew*. Das legale *drinking age* beginnt mit 21 Jahren. Es wird kontrolliert! Manche Restaurants sind Byobs *(Bring your own bottle)* – Wein muss der Gast selbst mitbringen. *Please wait to be seated* heißt das Zauberwort beim Eintreten in ein Restaurant. Anstatt gleich auf einen Tisch loszustürmen, lässt man sich von der *hostess* führen.

TRÖDEL UND OUTLET-SHOPPING

Typisch Neuengland: Praktisches und Altes bergen für
Souvenirjäger den größten Reiz

> Mega-Malls und Riesenkaufhäuser, die Symbole der amerikanischen Konsumgesellschaft, gibt es natürlich auch im Nordosten des Landes. Allerdings wäre Neuengland nicht Neuengland, hätte es dem wichtigsten Grundbedürfnis der Amerikaner nicht seinen ureigenen Stempel aufgedrückt. Denn noch lieber als in den glitzernden Konsumpalästen kaufen die Neuengländer in übersichtlichen kleinen Läden ein.

GENERAL STORES

Shopping ist nicht komplett ohne einen Besuch in einem *general store*. Diese Tante-Emma-Läden bilden als Postamt, Tankstelle, Bäckerei und Supermarkt im ländlichen Neuengland seit vielen Generationen den sozialen Mittelpunkt eines Dorfes. Hier bekommen Sie außer den leckeren selbst gebackenen Biscuits oft regional produzierten Ahornsirup.

KUNST

Künstlerkolonien blicken in Neuengland auf eine lange Tradition zurück. In

Städtchen wie Provincetown (Massachusetts), Rockport (Maine) und Ogunquit (Maine) trafen sich Amerikas Kreative. Bis heute sind hier die meisten Kunstgalerien versammelt – allein in Provincetown zwei Dutzend. Viele Gemeinden veranstalten an Sommerwochenenden *art walks*: Werke neuengländischer Künstler werden dann nicht nur in Galerien, sondern auf Bürgersteigen gezeigt – mit der Chance, dem Schöpfer eines ins Auge gefassten Werkes zu begegnen.

OUTLET-MALLS

Aus tristen Verkaufshallen, in denen die Hersteller mit dem Verkauf ab Fabrik anfingen, sind längst Wohlfühlbiotope geworden – mitunter auch riesige Malls. Neuengland ist ein Outlet-Paradies, und Maine die Outlet-Kapitale. In Kittery säumen gleich Dutzende berühmter Markennamen den Highway 1, allein die *Maine Kittery Outlets* beherbergen 120 Outlet-Stores. Die Mutter aller Outlets ist jedoch Freeport. Die gesamte Stadt ist eine einzige Outlet-Mall, mit

> EINKAUFEN

170 Outlet-Stores, Designerläden und Restaurants. Weitere Outlet-Malls gibt es u. a. in North Conway (New Hampshire), Lee (Massachusetts), Manchester (Vermont), Mystic (Connecticut) und Wrentham (Rhode Island). Eine amerikanische Institution ist der 1912 gegründete Outdoor-Ausstatter L. L. Bean (www.llbean.com). Er betreibt insgesamt 15 mit allem zum Leben und Überleben in der Wildnis eingedeckte Outlet-Stores in Neuengland, vier davon allein in Maine. Der größte Laden ist in Freeport – und rund um die Uhr geöffnet.

SHAKERMÖBEL

Originalmöbel aus den Werkstätten der Shakergemeinden sind heute unbezahlbar. Günstiger bekommen Sie die beliebten Klassiker – etwa Kommoden, Tische und Stühle – in den auf Shakermöbel spezialisierten Tischlerwerkstätten. Gute Adressen sind z. B. Ian Ingersoll Cabinetmakers (www.ianingersoll.com) und C. H. Becksvoort Furniture Maker (www.chbecksvoort.com).

KUNSTHANDWERK

Als *weather vanes* (Wetterfahnen) können Sie nicht nur Hähne, sondern Wale, Seeschlangen und Lokomotiven erstehen. Wunderschön sind die oft noch handgearbeiteten *quilts,* Patchworkdecken mit traditionellen Applikationen. Neuer Beliebtheit erfreuen sich die *stencils* genannten Schablonen, die einst in Ermangelung von Tapeten dazu dienten, Wände mit oft traditionellen Mustern zu verschönern. Zu kaufen gibt es dies und mehr in Galerien und Tante-Emma-Läden am Straßenrand sowie auf den zahlreichen *Arts and Craft Fairs.*

YARD SALES

Im Sommer werden Sie vor allem in kleineren Orten am Straßenrand *Yard Sales* bzw. *Tag Sales* begegnen. Dabei handelt es sich um privat organisierte, in Garageneinfahrten, Vorgärten oder Hinterhöfen stattfindende Kleinstflohmärkte, auf denen interessanter Trödel und manchmal sogar wertvolle Antiquitäten zum Vorschein kommen.

> BLAUE BUCHTEN UND GEMÜTLICHE DÖRFER

Schöne Yachthäfen und pompöse Sommerhäuser im ländlich geprägten Süden Neuenglands

> **Der Staat mit dem höchsten Pro-Kopf-Einkommen in den USA hat die typische Doppelgesichtigkeit eines Grenzlandes. Für Zehntausende von Pendlern, die in der nahen Metropole New York arbeiten, bietet Connecticut bereits die stilvolle Seelenruhe des grünen Neuenglands.**

Für besorgte Yankeetraditionalisten jedoch schwebt Connecticut mit seinen 3,5 Mio. Einwohnern in der Gefahr, im wuchernden Siedlungsbrei des Big Apple unterzugehen. Was

Connecticut verlieren würde, zeigt der zu drei Vierteln ländlich geprägte Staat vor allem im Nordwesten: idyllische Landschaften wie in den Litchfield Hills und dem grünen Tal des Connecticut River.

Als eigenständige, in den 1630er-Jahren begründete *Connecticut Colony* legten sich die britischen Siedler die erste geschriebene Verfassung in Nordamerika zu – heute noch sichtbar in Form des Nummernschildauf-

CONNECTICUT UND RHODE ISLAND

drucks *Constitution State*. Von Uhren über Fahrräder und Waffen bis zu Jettriebwerken und Atom-U-Booten hat Connecticut fast alles geliefert, was Amerika antreibt. Eine ungewöhnliche Bilanz für den drittkleinsten Staat der USA, der mit 13 000 km² etwa der Größe Schleswig-Holsteins entspricht.

Die kleinste politische Einheit der Vereinigten Staaten liegt nebenan: Rhode Island. Die Insel wurde als Fluchtpunkt für Quäker, Juden und Baptisten gegründet, die im frühen Neuengland vom puritanischen Religionsdiktat verfolgt wurden. Im späten 17. und 18. Jh. wurde der Staat mit dem berüchtigten Dreieckshandel reich. Zwischen Afrika, der Karibik und Europa wurden damals auch Sklaven gehandelt. Heute locken Orte wie Narragansett und Newport mit sauberen Stränden und attraktiven Segelrevieren.

BLOCK ISLAND

[125 D4] ⭐ **Die 10 km lange, hügelige Insel erreichen Sie per Fähre von New London in Connecticut, Montauk Point auf Long Island sowie von Newport, Providence und Galilee in Rhode Island.** In Old Harbor gibt es Hotels aus viktorianischer Zeit, viele Geschäfte und Res-

THE HOTEL MANISSES/ THE 1661 INN ⚜

Das Hotel von anno 1870 ist die Grande Dame von Block Island. Zimmer mit Hafenblick und erstklassiges Restaurant. *17 Zi. (Hotel), 21 Zi. (Inn) | Spring St. | Tel. 401-466-24 21 | www.blockislandresorts.com | €–€€€*

Bushnell Park: In Connecticuts Hauptstadt Hartford gibt es viele grüne Oasen

taurants. Eindrucksvoll ist der Blick von den ⚜ Mohegan Bluffs an der Südspitze bei Sonnenaufgang.

■ ESSEN & TRINKEN ÜBERNACHTEN

ATLANTIC INN ⚜
Viktorianisches Haus mit Restaurant. Etliche der 21 Zimmer haben Hafenblick. *High St. | Tel. 401-466-58 83 | | www.atlanticinn.com | €€–€€€*

■ FREIZEIT & SPORT ■

FAHRRÄDER
Old Harbor Bike Shop, am Fährhafen | Tel. 401-466-20 29

STRÄNDE
Der schönste ist *Crescent Beach.*

WANDERN
Die Insel ist von Wander- und Fahrradwegen *(trails)* durchzogen. Be-

sonders schön: der *Clayhead Nature Trail* an den Kliffen auf der Ostseite der Insel entlang.

AUSKUNFT

BLOCK ISLAND CHAMBER OF COMMERCE

1 Water St. | Tel. 401-466-52 00 | www.blockislandinfo.com

CONNECTICUT RIVER VALLEY

[124 C3–4] **Am 600 km langen *Rhine of America* wurde einst der Schiffbau groß geschrieben: Mehr als 50 Werften säumten den Connecticut River, die Schiffe für den Sezessionskrieg gegen die Südstaaten wurden dort gebaut.** Im Flusstal liegt auch *Hartford,* die 125 000 Ew. zählende Hauptstadt von Connecticut. Im 19. Jh. war sie Domizil der Schriftsteller Mark Twain und Harriet Beecher Stowe. Heute ist Hartford das Zentrum des amerikanischen Versicherungsgewerbes. Postmoderne Bürotürme markieren weit sichtbar die Skyline. Eine attraktive Hinterlassenschaft der Stadtväter sind die vielen Parks.

Im Städtchen *Deep River* (4400 Ew.) gibt es viele Antiquitätengeschäfte, im alten Schiffbauerort *Essex* (2600 Ew.) säumen schöne alte Kapitänshäuser die Main St.

SEHENSWERTES

CONNECTICUT RIVER MUSEUM

Mit Schiffsmodellen und der 1775 konstruierten *Turtle,* dem ersten U-Boot der Welt, wird die maritime Geschichte des Connecticut River dokumentiert. *Essex, 67 Main St. | Di–So 10–17 Uhr | Eintritt 8 $ | www.ctrivermuseum.org*

ESSEX STEAM TRAIN Insider Tipp

Die Eisenbahnfahrt mit dem Essex Steam Train geht durch das Tal des Connecticut River. *Exit 3 der Rte. 9 oder Exit 69 der I-95, Railroad Ave., Essex | Mai–Okt. | Tel. 860-767-01 03*

GILLETTE CASTLE STATE PARK

5 km nördlich von Deep River liegt in Hadlyme am anderen Ufer (Fähre in Chester!) der *Gillette Castle State Park (67 River Rd. | Mai–Okt. tgl. 10–16.30 Uhr | Eintritt 5 $)* mit dem 1919 gebauten, etwas bizarren 24-

MARCO POLO HIGHLIGHTS

★ **Block Island**
Schöne Strände und hügelige Wiesenlandschaft (Seite 32)

★ **Bowen's Wharf**
Rhode Islands beste Bummelmeile liegt in Newport direkt am Wasser (Seite 39)

★ **Mashantucket Pequot Museum**
Größtes Indianermuseum der USA (Seite 36)

★ **Mansions von Newport**
Newports Prachtmeile: die Sommerpaläste von Vanderbilt & Co. (Seite 38)

★ **Indian Summer**
Im Herbst verzaubert ein Farbenmeer die Litchfield Hills (Seite 34)

★ **Mystic Seaport**
Rekonstruktion eines kompletten Küstenorts um 1850 (Seite 36)

Zimmer-Granitschloss des Schauspielers William Gillette. Von hier aus haben Sie einen schönen Blick aufs Valley!

GOODSPEED OPERA HOUSE
Wenige Kilometer flussaufwärts von Deep River steht in dem Nest East Haddam (8000 Ew.) das viktorianische *Goodspeed Opera House* (1876). Die Testbühne für neue Broadwaymusicals ist auch ein beliebtes Fotomotiv. *Rte. 82, East Haddam | Tickets Tel. 1-860-873-86 68 | www.goodspeed.org*

MARK TWAIN HOUSE & MUSEUM
In der viktorianischen Villa in Hartford schrieb Mark Twain (1835 bis 1910) unter anderem seine Welterfolge über die Abenteuer von Tom Sawyer und Huckleberry Finn. Im Nachbarhaus wohnte Harriet Beecher Stowe (1811–1896), Autorin des Anti-Sklaverei-Klassikers „Onkel Toms Hütte". Beide Gebäude illustrieren mit Möbeln und Erinnerungsstücken den Lebensstil ihrer damaligen Besitzer. *Twain: 351 Farmington Ave. (Exit 46 der I-84) | Mo–Sa 9.30 bis 17.30, So 12–17.30 Uhr | Eintritt 14 $ | www.marktwainhouse.org | Beecher Stowe: Mi–Sa 9.30–16.30, So 12–16.30 Uhr | Eintritt 9 $ | www.harrietbeecherstowecenter.org*

WADSWORTH ATHENEUM
Das älteste öffentliche Kunstmuseum der USA wurde 1842 in Hartford eröffnet. Es zeigt Werke von Winslow Homer bis Andy Warhol. *600 Main St. | Di–Fr 11–17, Sa–So 10–17 Uhr | Eintritt 10 $ | www.wadsworthatheneum.org*

■ ESSEN & TRINKEN ■
RIVER TAVERN
Elegante und doch entspannte Atmosphäre. Raffinierte neue amerikanische Küche. *23 Main St., Chester | Tel. 860-526-94 17 | €€*

■ ÜBERNACHTEN ■
RIVERWIND COUNTRY INN
Altes Farmhaus. *8 Zi. | 209 Main St., Deep River | Tel. 860-526-20 14 | www.riverwindinn.com | €€ – €€€*

■ AUSKUNFT ■
CENTRAL REGIONAL TOURISM DISTRICT
31 Pratt St., Hartford | Tel. 860-244-81 81 | www.enjoycentralct.com

LITCHFIELD

[124 B3] **Litchfield ist das perfekte Neuenglandidyll. Zu Beginn des 19. Jhs. begannen die Stadtväter mit der Verschönerung des Städtchens (8400 Ew.), das 1721 als Erzgrube begonnen hatte.** Um den ungewöhnlich langen Green gruppieren sich einige der schönsten Häuser des Bundesstaats. Besonders reizvoll wirkt der Ort mit der *Congregational Church* (1829), wenn sich im Herbst das Laub der Bäume bunt färbt. Der ★ Indian Summer in den bewaldeten *Litchfield Hills* hat Kultcharakter für Fans der herbstlichen Laubfärbung. An der Rte. 7 entlang können Sie ein spektakuläres Farbenmeer bewundern.

■ SEHENSWERTES ■
LITCHFIELD HISTORICAL SOCIETY MUSEUM
Litchfields Stadtgeschichte vom 18. Jh. bis heute. *7 South St. | Mitte April–Nov. Di–Sa 11–17, So 13 bis*

*17 Uhr | Eintritt 5 $ | www.litchfield
historicalsociety.org*

■ ESSEN & TRINKEN ■
ASPEN GARDEN

Hübsches Bistro am Litchfield
Green, mit Terrasse. Leichte, medi-
terrane Küche. *51 West St. | Tel. 860-
567-94 77 | €€*

■ ÜBERNACHTEN ■
TOLLGATE HILL INN AND RESTAURANT

Gemütliches Inn mit Restaurant in
Haus aus dem Jahr 1745. *20 Zi. | 571
Torrington Rd. (Rte. 202) | Tel. 860-
567-12 33 | www.tollgatehill.com |
€€–€€€ (Hotel), €€ (Restaurant)*

■ FREIZEIT & SPORT ■
SCHWIMMEN

Im See des *Mt. Tom State Park (Rte.
202, 8 km südwestlich)*

■ AUSKUNFT ■
THE NORTHWEST CT CONVENTION & VISITORS BUREAU

Informationsstand am *Village Green |
Tel. 860-567-45 06 | www.litchfield
hills.com*

MYSTIC

**[125 D4] Das 1649 gegründete Fischerdorf
entwickelte sich zu einem Schiffbauzent-
rum mit heute 2600 Ew.** Um eine Zieh-
brücke liegt Old Mystic mit historischen Gebäuden. Die Hauptstraße ist
mit Shops gesäumt, die Handwerks-
und Geschenkartikel anbieten.

■ SEHENSWERTES ■
MYSTIC AQUARIUM AND INSTITUTE FOR EXPLORATION

Unterwasserzoo mit 3500 verschie-
denen Meeresbewohnern, darunter

Mark Twain House in Hartford: Hier schrieb Mark Twain seine berühmten Abenteuerromane

Belugawale, Delphine und Seelöwen. *55 Coogan Bd. (Exit 90 der I-95) | tgl. 9–18 Uhr | Eintritt 24 $*

MYSTIC SEAPORT ★

Rekonstruktion eines kompletten Küstenorts aus dem 19. Jh. – mit rund 60 Gebäuden, Museen und dem letzten schwimmenden Walfangschiff der Welt. *75 Greenmanville Ave. (Exit 90 der I-95) | April–Okt. tgl. 9–17, Nov.–März 10–16 Uhr | Eintritt 17 $ | www.mysticseaport.org*

■ ESSEN & TRINKEN ■

Insider Tipp ### ABBOTT'S LOBSTER IN THE ROUGH

Hummeressen an einfachen Holztischen unter freiem Himmel. *117*

>LOW BUDGET

> Unter Specials präsentiert die *Connecticut Commission on Culture & Tourism (www.ctvisit.com)* preislich hochinteressante Übernachtungs- und Unterhaltungsangebote von Hotels, B & Bs und Inns.

> Die schönsten Strände gehören den reichen Newportern. Wirklich? An dem für seine Mansions berühmten Ocean Drive liegt ein öffentlicher Privatstrand. Der *Gooseberry Beach* hat weißen, feinen Sand und Klippen zum Felsenspringen *(www.gooseberrybeach.com)*.

> In Providence können Sie nach Sonnenuntergang im Sommer ein kostenloses Spektaktel erleben. *Water Fire,* eine Skulptur aus Fackeln, Feuern und dem Wasser des Providence River, zaubert eine märchenhafte Atmosphäre in die Stadt *(Termine: www.waterfire.org).*

Pearl St., Noank Harbor, 4 km südlich | Tel. 860-536-77 19 | €

FLOOD TIDE RESTAURANT 🌿

Elegantes Restaurant im *Inn at Mystic,* mit Hafenblick. Fisch, Pasta und Steaks werden raffiniert zubereitet. *Rte. 1/Rte. 27 | Tel. 860-536 81 40 | €€*

■ ÜBERNACHTEN ■
THE INN AT MYSTIC

Das alte Haus mit Motelanbau bietet 68 Zimmer für jedes Budget. *Rte. 1/Rte. 27, Mystic | Tel. 860-536-96 04 | www.innatmystic.com | € – €€€*

THE OLD MYSTIC INN

Ruhiges B & B aus dem Jahr 1826, abseits des Touristenrummels. *8 Zi. | 52 Main St., Old Mystic | Tel. 860-572-94 22 | www.oldmysticinn.com | € – €€*

■ AUSKUNFT ■
MYSTIC MYSTIC COUNTRY CONVENTION & VISITORS BUREAU

32 Huntington St., New London | Tel. 860-444-22 06 | www.mysticcountry.com

■ ZIEL IN DER UMGEBUNG ■
LEDYARD   [125 D4]

20 Autominuten nördlich von Mystic entfernt, steht eines der größten Kasinoresorts der USA. Das *Foxwoods Casino (www.foxwoods.com)* gehört dem Stamm der inzwischen zu Millionären aufgestiegenen Mashantucket-Pequot-Indianer. 1998 investierten diese auch 140 Mio. Dollar in den Bau des nahe gelegenen ★ *Mashantucket Pequot Museum (110 Pequot Trail | Di–Sa 10–16 Uhr | Eintritt $ 15 | www.pequotmuseum.*

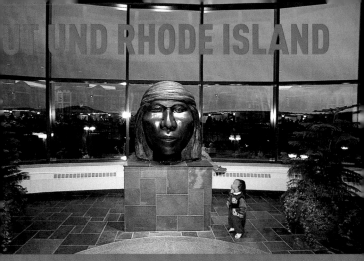

Foxwoods Casino: Goldgrube für die Besitzer, der Indianerstamm Mashantucket Pequot

org). Das den Ureinwohnern Nordamerikas gewidmete Museum besticht durch spannende Ausstellungen und Events.

NEW HAVEN

[124 C4] **Die 125 000-Ew.-Stadt liegt inmitten eines gesichtslosen Industriegebiets. Berühmtheit erlangte New Haven, 1638 von Puritanern gegründet, als Heimat der renommierten Yale University, die neben Harvard zu den besten Bildungseinrichtungen der USA zählt.** Die neogotische Campus-Uni, an der auch John F. Kennedy und Bill Clinton studierten, liegt mitten im Stadtzentrum und bietet einige hervorragende Museen.

Die *Yale University Art Gallery* besitzt Kunstwerke vom alten Ägypten bis zur Moderne *(1111 Chapel St. | Di–Sa 10–17, So 13–18 Uhr | Eintritt frei | www.artgallery.yale.edu).* Das *Yale Center for British Art (1080 Chapel St. | Di–Sa 10–17, So 12 bis 17 Uhr | Eintritt frei | http://ycba. yale.edu/index.asp)* beherbergt die größte Sammlung britischer Kunst außerhalb des Königreichs. Und die *Beinecke Rare Book Library (121 Wall St. | Mo–Do 8.30–20, Fr 8.30 bis 17, Sa 10–17 Uhr | www.library. yale.edu/beinecke)* ist die größte Bibliothek der Welt für seltene Bücher und Manuskripte. Hauptattraktion ist ihre Gutenbergbibel.

Kostenlose Führungen durch das weitläufige Universitätsgelände, bei denen Sie auch interessante und amüsante Anekdoten über berühmte Studenten erfahren können, organisiert das *Yale Visitor Center (New Haven Green, 149 Elm St. | Mo–Fr 9–16.30, Sa–So 11–16 Uhr | Dauer 75 Min. | www.yale.edu/visitor).*

Insider Tipp

Auskunft: Greater New Haven Conventions & Visitors Bureau | 169 Orange St., New Haven | Tel. 203-777-85 50 | www.visitnewhaven.com

NEWPORT

[125 D4] **Im Jahr 1639 als Refugium religiöser Abweichler gegründet, entwickelte sich Newport (24 000 Ew.) zu einer bedeutenden Hafen- und Handelsstadt.** Die

Ostküstenprominenz baute sich hier Ende des 19. Jhs. pompöse Sommerhäuser. Newport lässt sich bequem zu Fuß oder per Fahrrad erkunden.

▮▮▮ SEHENSWERTES ▮▮▮

COLONIAL NEWPORT

Das gediegenen Wohlstand ausdrückende koloniale Stadtbild zeigt sich am schönsten rund um den Washington Square. Zu den Schmuckstücken gehört das *Hunter House* von 1748 *(54 Washington St. | Mai–Okt. tgl. 10–18 Uhr | Eintritt 9 $).*

INTERNATIONAL TENNIS HALL OF FAME

Tennismuseum mit Erinnerungsstücken des weißen Sports. *194 Bellevue Ave. | tgl. 9.30–17 Uhr | Eintritt 10 $*

MANSIONS VON NEWPORT ⭐

Die großen steinernen Paläste dienten den Eisen- und Stahlbaronen der vorletzten Jahrhundertwende als luxuriöse Sommersitze. Der Pomp jener Ära ballt sich südlich vom Stadtzentrum an Ocean Drive und Bellevue Avenue.

Fünf Sommerschlösser gehören heute der *Preservation Society of Newport.* Am eindrucksvollsten ist *The Breakers,* das Haus von Cornelius Vanderbilt II. mit 70 Zimmern *(Ochre Point Ave.).* 2500 Arbeiter erstellten in zwei Jahren die innen ganz vergoldete Pracht. *April–Jan. tgl. 10–18 Uhr | Eintritt 11 $, Adressen und Eintrittskarten (31 $ für alle fünf Häuser): Newport Preservation Society | Tel. 401-847-10 00 | www. newportmansions.org*

Im 1857 gebauten Sommerpalast *Beechwood (580 Bellevue Ave. | tgl. 10–17 Uhr | Eintritt ab 15 $ | www. astorsbeechwood.com)* der Familie Astor führen Schauspielschüler in historischen Kostümen erdachte Sze-

Flanier- und Shoppingmeilen: Bowen's und Bannister's Wharf in Newport

nen aus dem „Alltagsleben" der Familie vor.

ESSEN & TRINKEN

BLACK PEARL

Gemütliche alte Taverne mit Terrasse auf dem Pier. Fisch und Ente vom Grill. *Bannister's Wharf* | *Tel. 401-846-52 64* | €€

SCALES & SHELLS

Fisch und Hummer frisch vom Grill. Reservieren! *527 Thames St.* | *Tel. 401-846-34 74* | €

EINKAUFEN

Auf ⭐ *Bowen's* und *Bannister's Wharf* reihen sich Boutiquen, Galerien und Restaurants aneinander, an den Bootsstegen liegen Yachten reicher Urlauber. Antiquitätenläden gibt es in der Thames und der Spring St.

ÜBERNACHTEN

THE IVY LODGE

In unmittelbarer Nähe der großen Sommerpaläste. Mit viktorianischem Flair. *8 Zi.* | *12 Clay St.* | *Tel. 401-849-68 65* | *www.ivylodge.com* | €€–€€€

PILGRIM HOUSE

Insider Tipp

Koloniales Stadthaus, Frühstück auf dem Dach. *11 Zi.* | *123 Spring St.* | *Tel. 401-846-00 40* | *www.pilgrim houseinn.com* | €–€€

FREIZEIT & SPORT

WANDERN UND RADFAHREN

Der 4,5 km lange ☀ *Cliff Walk* führt an der Ostseite von Newport am Meer entlang und an den Hintergärten der Sommerpaläste vorbei. Der *Ocean Drive (15 km)* erlaubt ebenfalls Ansichten vom üppigen Leben. Ein gutes Ziel ist die ☀ Terrasse des *Inn at Castle Hill* mit Blick auf die Narragansett Bay. *Insider Tipp*

AUSKUNFT

NEWPORT COUNTRY CONVENTION AND VISITORS BUREAU

23 America's Cup Ave. | *Tel. 401-845-91 23* | *www.gonewport.com*

> DER ERSTE HAMBURGER

Wo 1900 der Fleischklops erfunden wurde

Zwei Dinge müssen Sie mitbringen, um in diesem Imbiss am Rand der Yale-Universität zu Ihrem Hackfleischklops zu kommen: ein verständliches Amerikanisch und ein dickes Fell. Die Bedienung ist nämlich legendär unfreundlich. Wer nicht umgehend seine Bestellung ausstößt, wird mit einem „Hab' nicht den ganzen Tag Zeit" abgebürstet. Solche Rüpelhaftigkeit kann sich der Imbiss jedoch leisten. Louis Lassen erfand hier im Jahr 1900 das amerikanische Symbol per se, den Hamburger. Sein Enkel serviert ihn noch heute unverändert: als gegrilltes Hackfleisch zwischen zwei Toastscheiben, garniert mit Zwiebel, Käse und Tomatenscheibe. Von Senatoren über Professoren bis zu Taxifahrern und Polizisten steht halb New Haven hier an. Und amüsiert sich königlich, wenn wieder mal ein Tourist verkohlt wird. *Louis' Lunch, 261–263 Crown St.* | *Tel. 203-562-55 07* | *www.louislunch.com*

PROVIDENCE

[125 D3] **Die Hauptstadt von Rhode Island (177 000 Ew.) liegt am Ende der Narragansett Bay. Zu Beginn des 17. Jhs. gegründet, wurde die Stadt mit Dreiecks- und Chinahandel reich.** Während im 19. und 20. Jh. das Stadtbild vor allem durch Fabriken geprägt war, erlebt Providence seit den 1980er-Jahren ein beispielhaftes Facelifting und zieht Architekturstudenten aus dem ganzen Land an.

SEHENSWERTES

COLLEGE HILL

Auf dem begrünten Hügel steht das älteste Wohnviertel der Stadt. An steilen Straßen liegen prächtige Residenzen: Die *Benefit St.,* erste Straße auf dem Hügel, heißt wegen ihrer geschichtsträchtigen Häuser auch *mile of history.* Sehenswert sind hier besonders das *Old State House (Nr. 150 | Mo–Fr 8.30–16.30 Uhr)* mit seiner Ausstellung zur Stadtgeschichte und das *Museum of Art Rhode Island School of Design (Nr. 224 | Di–So 10–17 Uhr | Eintritt 8 $),* das Kunst im gesellschaftlichen Kontext zeigt. Das 1788 im georgianischen Stil erbaute *John Brown House (52 Power St. | geführte Touren Di–Fr 11.30 und 15 Uhr, Sa 10.30, 12, 13.30 und 15 Uhr | Eintritt 8 $)* ist berühmt für seine schönen Möbel. Die 1804 gegründete *Brown University* liegt auf der Spitze des Hügels. Sie beherbergt

> BLOGS & PODCASTS
Gute Tagebücher und Files im Internet

> *www.bostonblogs.com* – Forum für Blogger aus dem Großraum Boston, die von Lokalpolitik über die besten Restaurants und Kneipen bis hin zu Kunst alles – politisch inkorrekt – abhandeln, was irgendwie mit Boston zu tun hat.

> *http://gonewengland.about.com* – Ständig aktualisierte Reisetipps, Informationen und Artikel zu Neuengland. Die allerneuesten Infos erscheinen in der Blog-Sparte.

> *www.ivygateblog.com* – Ironische bis bitterböse Berichterstattung aus dem Innersten der berühmten *Ivy League.* Zu diesen Eliteuniversitäten gehören Harvard, Yale, Brown und Dartmouth.

> *www.yankeemagazine.com* – Onlinepräsenz des traditionsreichen Neuengland-Magazins. Neben Artikeln, Audios und Videos stellen Yankee-Blogger hier von ihnen getestete Hotels, Restaurants, Skireviere und Reisebücher vor.

> *www.bostonbehindthescenes.com* – Toller Internetauftritt mit Videos und Audios über Menschen, die Boston in Bewegung halten – wie Rikschafahrer und Teilnehmer am Boston Marathon.

> *http://vermontdailybriefing.com/* – Tägliche Depeschen aus dem hohen Norden der USA zur Tagespolitik im fernen Washington. Böse, intelligent, kritisch. Typisch neuenglisch.

Für den Inhalt der Blogs & Podcasts übernimmt die MARCO POLO Redaktion keine Verantwortung.

Rhode Island State House: Hier tagt die Regierung des kleinsten Bundesstaats der USA

die *John Carter Brown Library (George u. Brown Sts. | Mo–Fr 8.30 bis 17, Sa 9–12 Uhr)* mit den ältesten in Amerika gedruckten Büchern.

RHODE ISLAND STATE HOUSE UND PROVIDENCE MALL

Unübersehbar thront das 1901 eröffnete *Rhode Island State House* über der Stadt. Die frei tragende Kuppel des Regierungssitzes ist die zweitgrößte nach der des Petersdoms. Von den Stufen der breiten Freitreppe haben Sie einen schönen Blick auf die Stadt und hinüber zum *College Hill.* Am Fuß des Hügels beginnt der *Waterplace Park,* ein Erholungsgebiet mit künstlichen Seen, Lagunen und Kanälen. Dahinter erhebt sich die für viele Millionen Dollar geliftete *Providence Mall,* ein Konsumtempel mit Restaurants und Bistros.

▮ ESSEN & TRINKEN ▮

BLUE GROTTO

Der Nobelitaliener liegt auf dem Federal Hill. Die Küche ist modern und kreativ, vor allem bei Klassikern wie Saltimbocca. *210 Atwels Ave. | Tel. 401-272-90 30 | €€*

▮ ÜBERNACHTEN ▮

THE PROVIDENCE BILTMORE

Die Grande Dame der örtlichen Hotels wurde 1922 im Art-déco-Stil erbaut. *290 Zi. | 11 Dorrance St. | Tel. 401- 421-07 00 | www.providencebilt more.com | €€–€€€*

▮ AM ABEND ▮

LUPO'S HEARTBREAK HOTEL

Bester Treff für Livemusik zwischen Bar Harbor und New York. Hier rockt und swingt alles, was in der US-Musikszene Rang und Namen hat. *79 Washington St. | Tel. 401-331-58 76 | www.lupos.com*

▮ AUSKUNFT ▮

PROVIDENCE WARWICK CONVENTION & VISITORS BUREAU

1 West Exchange St. | Tel. 401-274-16 36, 1-800-233-16 36 | www.provi dencecvb.com

> TONANGEBEND IM NORDOSTEN

Hier schlägt das Herz von Neuengland: in alten Fischerhäfen,
der Metropole Boston und der Harvard-Universität

> **Massachusetts war stets der Vorreiter Neuenglands. Das begann mit der Landung der *Mayflower* in Plymouth (1620) und setzte sich fort mit der Gründung der Universität Harvard (1636).**

Bostons Common wurde der erste öffentliche Park (1634), und hier – in der größten Stadt Neuenglands (600 000 Ew.) – fuhr 1898 auch die erste Untergrundbahn Amerikas. Massachusetts ist die Wiege der amerikanischen Revolution. Sie begann hier mit dem Aufbegehren gegen die Steuerpolitik der britischen Kolonialherren und mit Ereignissen wie dem Boston Massacre (1770) und der Boston Tea Party (1773).

Benannt wurde der Staat nach dem Indianerstamm, auf den die ersten Siedler trafen. Massachusetts erstreckt sich über die gesamte Breite Neuenglands von den bergigen Berkshires bis nach Cape Cod und bietet einen reizvollen Querschnitt

Bild: Boston

MASSACHUSETTS

der Region: von Sommerstrand bis Wintersport, von denkmalgeschützten Industriestädten bis zu herb-schönen Fischerhäfen, von Wiesen und Feldern bis zu herbstlich bunten Wäldern. Der Bundesstaat symbolisiert Amerikas Weg von Landwirtschaft und Walfang über Seehandel und Industrialisierung bis hin zum Computerbau. Colleges und Universitäten – allein im Großraum Boston gibt es über 50 – haben dabei ständig für frisches geistiges Potenzial gesorgt. Mit seinen 6,4 Mio. Einwohnern hat Massachusetts auch auf Bundesebene ein Wörtchen mitzureden. Die aus Boston stammende Politikerclan der Kennedys ist so etwas wie Amerikas königliche Familie. Die Kennedys besitzen, wie viele wohlhabende Bostoner, einen Landsitz auf Cape Cod. Diese Halbinsel vor den Toren Bostons zählt zu den berühmtesten Sommerfrischen der USA.

Schmuckstück zwischen riesigen Bürotürmen: das Bostoner Old State House

BOSTON

 KARTE IN DER HINTEREN UMSCHLAGKLAPPE

[125 E2–3] **Boston entstand 1630, als 1000 Puritaner mit dem späteren Gouverneur John Winthrop an der Spitze auf der Shawmut-Halbinsel landeten.** Diese protestantischen Fundamentalisten errichteten einen intoleranten Gottesstaat und verfolgten jeden, der in Sachen Religion anderer Meinung war. Später entstand hier, dank puritanischer Bildungsbeflissenheit, jene geistige Elite, die, protestantisch-konservativ und weltoffen zugleich, dem britischen Empire zuerst die kalten Schulter zeigte. So wurde Boston nicht nur die Wiege der amerikanischen Unabhängigkeit, sondern auch die Brutstätte technischer und wirtschaftlicher Innovationen wie der Mikrowelle, des Internets und des Venturekapitals.

Ihren Wohlstand bezog die Hauptstadt der Massachusetts Bay Colony vom Handel mit England und den Westindischen Inseln und dem Chinahandel. Das Geistesleben blühte, Boston hieß das „Athen Amerikas". Heute bezieht die Stadt ihre Wirtschaftskraft aus der Computerindustrie, dem Bank- und Versicherungsgewerbe sowie anderen Dienstleistungszweigen.

Boston ist eine Stadt historisch gewachsener Viertel. Am schönsten sind das verwinkelte *North End,* heute eine Hochburg italienischer Einwanderer, *Beacon Hill,* die alte Enklave der Bostoner Oberschicht, und *Back Bay,* das mondäne Viertel jenseits des Public Garden. Die roten Ziegelhäuser von Beacon Hill und von North End, die enge Kopfsteinpflasterstraßen säumen, sind das stolze Erbe einer Zeit, in der Amerika Europa näher war. Heute liegen sie zu Füßen moderner Bürotürme.

Sie können die Stadt gut zu Fuß erobern. Für Autofahrer ist das Straßennetz ein undurchsichtiges Gewirr von Einbahnstraßen. Das U-Bahn-Netz erleichtert auch ausgedehnte Exkursionen wie nach Cambridge und Harvard.

> *www.marcopolo.de/usa-neuengland*

MASSACHUSETTS

SEHENSWERTES

BOSTON HARBOR CRUISES ⚓ [U F3]

Die anderthalbstündigen Hafenrundfahrten bieten eine gute Aussicht auf die Skyline *(stündlich 10.30–16.30 Uhr | 20 $)*. Außerdem werden Whale-Watching-Touren veranstaltet *(Ende Mai–Mitte Okt. | 5 Stunden | 40 $)*. *1 Long Wharf | Tel. 617-227-43 21*

BUNKER HILL MUSEUM [U E1]

2007 in Charlestown eröffnet, dokumentiert das Museum die Belagerung Bostons. Sie gipfelte in der Schlacht von Bunker Hill am 17. Juni 1775, dem ersten großen Waffengang des Unabhängigkeitskrieges *(43 Monument Square | tgl. 9–17 Uhr | Eintritt frei)*. Auf der anderen Straßenseite erhebt sich das berühmte, 73 m hohe *Bunker Hill Monument*.

FREEDOM TRAIL ⭐ [U D–E1–4]

Eine rote Linie quer durch die Stadt führt zu 16 historischen Schauplätzen. Angefangen beim *Boston Common*, dem weitläufigen Park, geht sie durchs Regierungs- und Finanzviertel und North End bis zu den geschichtsträchtigen Orten in Charlestown. Unter anderem führt sie zum *Old South Meeting House*, wo das konspirative Treffen vor der Boston Tea Party stattfand, zum *Old State House*, dem Sitz der Kolonialregierung und Schauplatz des Boston Massacre, zum *Paul Revere House*, dem Wohnhaus des populärsten Freiheitskämpfers, und zur *USS Constitution*, dem ältesten Kriegsschiff (1797) der US-Marine. Einige Stätten verlangen Eintritt. Ein Rundgang dauert einen ganzen Tag. Tipp: am *Massachusetts State House* begin-

MARCO POLO HIGHLIGHTS

⭐ **Berkshire Hills**
Waldreiche Berglandschaft rund um den hübschen Ort Lenox
(Seite 63)

⭐ **Nantucket**
Die Zeit scheint auf der idyllischen Insel stehen geblieben zu sein
(Seite 58)

⭐ **Freedom Trail**
Durch Boston zu Fuß auf den Spuren der amerikanischen Unabhängigkeit
(Seite 45)

⭐ **Cambridge**
Uniflair mit Cafés und Buchhandlungen um den Campus
(Seite 51)

⭐ **Cape Cod**
500 km Küste mit weiten Sandstränden und alten Fischerdörfern
(Seite 51)

⭐ **Hancock Shaker Village**
Das Freilichtmuseum beeindruckt durch Schlichtheit und Spiritualität
(Seite 62)

⭐ **Peabody and Essex Museum**
Vom lukrativen Chinahandel erzählt das faszinierende Museum in Salem
(Seite 61)

⭐ **Martha's Vineyard**
Insel mit rötlichen Klippen, schönen Eichenalleen, hübschen Dörfern und herrlichen Stränden (Seite 56)

nen. Übersichtskarten erhalten Sie am *Boston Common Visitor Information Booth (Tremont St., Nähe MBTA-Station Park St.)*.

Insider Tipp ISABELLA STEWART GARDNER MUSEUM [0]

Museum im ehemaligen Privatpalazzo einer exzentrischen Millionärin mit exquisiten alten Meistern (Botticelli, Rubens, Tizian) und Schätzen aus dem Besitz der Medici. *280 The Fenway | Di–So 11–17 Uhr | Eintritt 12 $ | www.gardnermuseum.org*

Insider Tipp JOHN F. KENNEDY LIBRARY AND MUSEUM [0]

Erinnerungsstücke aus der Amtszeit des in Boston geborenen 35. US-Präsidenten, der 1963 bei einem Attentat getötet wurde. Vor dem kühnen schwarzen Glasgebäude des Meisterarchitekten I. M. Pei befindet sich John F. Kennedys aufgedockte Segelyacht *Victura. Columbia Point, Dorchester, Subway Station JFK/U Mass (Red Line) | tgl. 9–17 Uhr | Eintritt 10 $ | www.jfklibrary.org*

MUSEUM OF FINE ARTS [0]

Eines der besten Kunstmuseen des Landes verschafft einen exzellenten Überblick über das Kunstschaffen in Amerika. Aufschlussreiche Sammlung mit Porträts berühmter Bostoner. Die bis 2010 geplante Erweiterung des Museums wird den Betrieb nicht behindern. *465 Huntington Ave.*

❯ BÜCHER & FILME
Großstadtdschungel, einsame Wälder und Seen

> ❯ **Das Mädchen** – Wie groß die Wälder im kleinen Neuengland sind, erfährt ein neunjähriges Mädchen, als es beim Spaziergang mit der Mutter verlorengeht. Der Rest ist Stephen King pur.

> ❯ **Walden oder Leben in den Wäldern** – Das Büchlein von Henry David Thoreau über die Schönheit des einfachen Lebens in der Natur inspirierte Gandhi und die Hippies. Seit 160 Jahren ein Neuengland-Klassiker.

> ❯ **Der scharlachrote Buchstabe** – In dem 1850 erstmals erschienenen Roman von Nathaniel Hawthorne geht es um Ehebruch und Doppelmoral zu Zeiten der glaubensstrengen Puritaner.

> ❯ **Good Will Hunting** – Die Geschichte des vorbestraften Will Hunting, der sich als Mathematikgenie erweist, aber alle Eingliederungsversuche und lukrativen Angebote ausschlägt, spielt in Boston. Mit Matt Damon und Robin Williams (1997).

> ❯ **Mystic River** – Die Wege dreier Jugendfreunde kreuzen sich 25 Jahre später auf tragische Weise, als die Tochter eines von ihnen ermordet wird. Schauplatz von Clint Eastwoods Film über Schuld und Sühne (2003) sind die Armenviertel South Bostons. Mit Sean Penn, Tim Robbins und Kevin Bacon.

> ❯ **Am goldenen See** – Das Familiendrama (1981) über die Begegnung von Alter und Jugend wurde am Squam Lake in New Hampshire gedreht. Mit Henry Fonda, Katherine Hepburn und Jane Fonda.

Moderner Tempel für den 35. US-Präsidenten: John F. Kennedy Library and Museum

| Mo–Di 10–16.45, Mi–Fr 10–21.45, Sa–So 10–17.45 Uhr | Eintritt 17 $ | www.mfa.org

MUSEUM OF SCIENCE [U C2]
600 interaktive Ausstellungen zu Astronomie, Biologie und Biotechnologie, Medizin und Informatik bringen den Besucher auf den neuesten Stand von Forschung und Technik. *1 Science Park | Sa–Do 9–17, Fr 9 bis 21 Uhr | Eintritt 19 $ | www.mos.org*

NEW ENGLAND AQUARIUM [U F4]
Mehr als 24 000 verschiedene Meeresbewohner, angefangen bei Quallen und Heringen über Pinguine und Seelöwen bis zu Haifischen und Piranhas. Über eine verglaste Treppe geht es vier Stockwerke tief in die Welt der Haie und Muränen. *Central Wharf (Central/Milk St.), 1 Atlantic Ave. | Mo–Fr 9–17, Sa, So 9–18 Uhr | Eintritt 19,95 $ | www.neaq.org*

PRUDENTIAL TOWER ☙ [U A6]
Vom 50. Stock liegt einem ganz Boston zu Füßen. Besonders gut von der 360-Grad-Aussichtsterrasse zu sehen: der Emerald Necklace genannte Grüngürtel der Stadt. *Zwischen Huntington Ave. und Boylston St. | tgl. 10–22 Uhr | Eintritt 11 $*

USS CONSTITUTION [U E1]
Das 200 Jahre alte Holzschiff trat zu 42 Seeschlachten an – und gewann sie alle. Angeschlossen ist ein Museum mit Fotos, Gemälden und Ausrüstungsgegenständen der Matrosen *Constitution Wharf, Charlestown, Water-Shuttle-Boot (2,50 $) von Long Wharf neben dem New England Aquarium | Museum 15. April–31. Okt. 9–18, Nov.–14. April 10–17 Uhr | Schiff April–Okt. Di–So 10–17.30, Nov.–März Do–So 10–15.30 Uhr | Eintritt freiwillig | www.ussconstitutionmuseum.org*

■■■ESSEN & TRINKEN■■■
ANTHONY'S PIER 4 [U F4–5]
Hausgebeizter Lachs, Kabeljau und Hummer vom Feinsten. Treffpunkt: die Bar *Rum Room. 140 Northern Ave. | Tel. 617-482-62 62 | €€–€€€*

CLIO [0]

Küchenchef Ken Oringer tischt kreative französisch-amerikanische Küche auf wie Foie Gras mit Rhabarber und Feigen. *Im Eliot Hotel, 370 Commonwealth Ave. | Tel. 617-536-72 00 | €€€*

Insider Tipp HAMERSLEY'S BISTRO [0]

Innovative Neuenglandgerichte bekommen Sie hier im hippen Viertel South End. *553 Tremont St. | Tel. 617-423-27 00 | €€*

JOE'S AMERICAN BAR & GRILL 〰️ [U F3]

Hemdsärmeliger Treffpunkt bei Seafood und Steak. Hafenblick von der Terrasse. *100 Atlantic Ave. | Tel. 617-367-87 00 | €*

OLIVES [0]

Chefkoch Todd English ist bekannt für seine phantasievolle Mittelmeerküche. *10 City Square, Charlestown | Tel. 617-242-19 99 | €€–€€€*

UNION OYSTER HOUSE [U E3]

An der Bar des ältesten Restaurants der Stadt gibt's frische Blue-Point-Austern. *41 Union St. | Tel. 617-227-27 50 | €€*

▇ EINKAUFEN ▇

FANEUIL HALL MARKETPLACE [U E3]

Der ehemals größte Markt der Stadt wurde zum Mekka für kaufwillige Touristen. Im *Quincy Market,* einem Marktgebäude von 1825, gibt es gute Restaurants, darunter das *Marketplace Café,* das *Durgin Park* und das *Quincy Market.* Die ▶▶ Bars sind abends Treffpunkt von Singles.

FILENE'S BASEMENT [U D4]

Beachtliche Schnäppchen aus der Fabrikation bekannter Modemacher. *497 Boylston St. | www.filenesbasement.com*

NEWBURY STREET [U A–C6–5]

Bostons eleganteste Shoppingmeile erstreckt sich über zwölf Blocks vom

Common nach Westen durch den Stadtteil Back Bay. Hier finden Sie Designerchic und Boutiquencharme und können sich in einem der zahlreichen Coffeshops ausruhen.

ÜBERNACHTEN

Hotelzimmer zu ermäßigten Preisen vermittelt *Boston Hotelseye (Tel. 800-780-57 33 | www.bostonhotelseye.com).* Privatunterkünfte von 70 bis 140 $ sowie Apartments ab 90 $ vermittelt die *Bed & Breakfast Agency of Boston (47 Commercial Wharf | Tel. 617-720-35 40 | Fax 523-57 61 | www.boston-bnbagency.com).*

BOSTON HARBOR HOTEL ☼ [U F4]
Direkt am Wasser gelegenes Hotel, mit spektakulärem Blick auf Stadt und Hafen sowie gutem Fitnessclub. *230 Zi. | 70 Rowes Wharf | Tel. 617-439-70 00 | www.bhh.com | €€€*

CHANDLER INN [U B–C6]
Elegant-einfaches Design in 56 kleineren Zimmern. Zentrale Lage zwischen Back Bay und South End. *26 Chandler St. | Tel. 617-482-34 50 | www.chandlerinn.com | €€€*

HOLIDAY INN SELECT-BOSTON GOVERNMENT CENTER
Angenehme Unterkunft der verlässlichen Mittelklassekette, am Rand von Beacon Hill. *303 Zi. | 5 Blossom St. | Tel. 617-742-76 30 | www.ichotelsgroup.com | €€*

THE NEWBURY GUEST HOUSE [U A6]
32 Zimmer in einem renovierten Haus nahe Copley Square. *261 Newbury St. | Tel. 617-670-60 00 | www.newburyguesthouse.com | €€*

FREIZEIT & SPORT

RADFAHREN [U A–C1–5]
Schön zu fahren ist der 30 km lange *Paul Dudley White Memorial Bicycle Path* auf beiden Seiten des Charles River.

AM ABEND

Der *Calendar* im „Boston Globe", die Wochenzeitung „Boston Phoenix" und die monatliche Stadtzeitung „Boston Magazine" bieten aktuelle Infos über das Kulturleben. Eine Menge Clubs mit Livemusik gibt es in der *Lansdowne St.* zwischen *Brookline Ave.* und *Ipswich St.* (MBTA Green Line: Kenmore Sq.), auch in den Diskotheken *Axis (Nr. 13 | Tel. 617-262-24 37)* und *Avalon (Nr. 15 | Tel. 617-262-24 24)* treten Livebands auf.

CHEERS BOSTON [U C4]
Bar mit Interieur und Stimmung wie in Altengland. Die Außenfassade ist berühmt aus der TV-Serie „Cheers". *84 Beacon St. | Tel. 617-227-96 05*

FREE FRIDAY FLICKS [U B4] *Insider Tipp*
Im Sommer werden jeden Freitagabend direkt am Fluss kostenlos populäre Filme gezeigt. Gute Picknickmöglichkeit! *Hatch Shell Memorial, Storrow Drive, The Esplanade | Ab Sonnenuntergang | Tel. 617-787-72 00*

THE PARADISE ROCK CLUB [U B5]
In der Nähe der Boston University liegt dieser kleine Talentschuppen für Bands aus der Greater Boston Area. Tolle Liveatmosphäre. *97 Commonwealth Ave. | Tel. 617-562-88 00 | www.thedisecom*

Insider Tipp PHO REPUBLIQUE ▶▶ [U B6]

Thairestaurant im Herzen des Trendviertels South End. Die Theke mit heißen Barkeepern macht das Lokal zum Intreff von Bostons Kreativen. Starke Drinks, originelles Dekor, coole Musik. *1415 Washington St. | Tel. 617-262-00 05 | €–€€*

SYMPHONY HALL [0]

Konzerthalle des Boston Symphony Orchestra und des beliebten Boston Pop Orchestra. *301 Massachusetts Ave. | Tel. 617-266-14 92 | www.bso. org*

>LOW BUDGET

> Von Mitte Juli bis Anfang August führt die Commonwealth Shakespeare Company *(www.comm shakes.org)* die schönsten Stücke des englischen Dichterfürsten abends auf dem Boston Common auf. Gratis.

> Hotels, Sehenswürdigkeiten, Restaurants, Shows, Shopping, Walbeobachtungstouren: Auf der Website des Greater Boston Convention & Visitors Bureau *(www.bostonusa.com)* klicken Sie sich unter „Discounts" zu Preisnachlässen zwischen 10 und 50 Prozent.

> Mit dem Leihrad kommen Sie auf Nantucket für 20 Dollar Tagesmiete auf herrlichen Radwegen zu einsamen Stränden und entlegenen Leuchttürmen.

> Picknicks sind günstig und machen Spaß. Zum *Tanglewood Festival* in Lenox packt Ihnen die Bäckerei *Loeb's Foodtown* (42 Main St. | *Tel. 413-637-02 70)* Gourmetsandwiches, Salat und Käse in den Korb.

◾ AUSKUNFT ◾

GREATER BOSTON CONVENTION AND VISITORS BUREAU [U A6]

Two Coply Place | Suite 105 | Tel. 617-536-41 00. Das GBCVB betreibt auch den *Boston Visitor Information Pavillion am Common. www.boston usa.com*

◾ ZIEL IN DER UMGEBUNG ◾

PLYMOUTH [125 E3]

30 Autominuten südlich von Boston liegt die selbst ernannte Hauptstadt (7900 Ew.) des Preiselbeer-Anbaugebiets. Plymouth Rock, der Felsen, an dem die Pilgerväter der *Mayflower* 1620 auf der Suche nach der bereits etablierten Kolonie Virginia an Land gingen, ruht heute unter einem säulengetragenen Baldachin aus dem Jahr 1880. Der *Pilgrim Path,* ein Fußweg entlang zahlreicher historischer Stätten, führt u.a. zur *Mayflower II* (tgl. 9–17 Uhr | Eintritt 9 $), einer atlantikerprobten, getreuen Nachbildung des berühmten Segelschiffs.

Im Museumsdorf *Plimouth Plantation* wird das Leben der ersten Siedler eindrucksvoll und originalgetreu nachgespielt. Der Besuch lohnt sich vor allem mit Kindern *(Warren Ave./Rte. 3 A | Ende März–Ende Nov. tgl. 9–17.30 Uhr | Eintritt 28 $ | www.plimouth.org).* Gleich gegenüber liegt das *Pilgrim Sands Motel* mit eigenem kleinem Strand und zwei Pools. *64 Zi. | 150 Warren Ave. | Tel. 508-747-09 00 | www.pilgrim sands.com | €€–€€€*

Auskunft: Destination Plymouth, 170 Water St. | Tel. 508-747-75 33 | Fax 747-75 35 | www.visit-plymouth. com

MASSACHUSETTS

CAMBRIDGE

[125 E3] ★ **Eingefleischte Bostoner betrachten Cambridge als Teil ihrer Stadt, aber die 102 000 Einwohner von Cambridge sehen das anders.** Die politisch selbstständige Kommune am Nordufer des Charles River, erreichbar per MBTA (Red Line), ist Heimat der traditionsreichen *Harvard University* und des renommierten *Massachusetts Institute for Technology (MIT)*.

ESSEN & TRINKEN

EAST COAST GRILL ▶▶

Lebhafter Szenetreff mit Fleischspezialitäten vom Grill und guten Fischgerichten. *1271 Cambridge St. | Tel. 617-491-65 68 | €€–€€€*

EINKAUFEN

HARVARD SQUARE ▶▶

Mit Cafés, Buchhandlungen und Healthfoodgeschäften das Zentrum der Studentenboheme. Die Boutiquen verströmen noch immer einen Hauch der 1960er-Jahre.

ÜBERNACHTEN

CHARLES

Zentral am Harvard Square. Die *Regatta Bar* ist eine der besten Jazzbars der Region. *249 Zi. | 1 Bennett St. | Tel. 617-864-12 00 | Fax 864-57 15 | www.charleshotel.com | €€€*

AM ABEND

WALLYS CAFÉ JAZZ CLUB

Seit 1947 eine Institution in Sachen Jazz, täglich Livemusik. Lange Tradition als *training ground* für Spitzenmusiker wie Chick Corea. *427 Massachusetts Ave. | Tel. 617-424-14 08 | www.wallyscafé.com*

CAPE COD

[125 F3–4] ★ **Die Halbinsel südöstlich von Boston, zu der offiziell auch die kleineren Inseln Martha's Vineyard und Nan-**

Museumsdorf Plimouth Plantation

tucket gehören, sieht aus wie ein Arm mit gespannten Muskeln. Exakt in der Faust liegt der alte Walfängerhafen Provincetown, wo die Pilgerväter aus England anno 1620 mit der Mayflower anlegten, bevor sie nach Plymouth weitersegelten. Im 17. Jh. siedelten sich Fischer auf dem Cape an und verschifften in Salz eingelegte Makrelen und Kabeljau *(cod)* nach

Europa. Mit seinen schönen langen Sandstränden lockte das Cape schon früh reiche Bostoner sowie Künstler und Schriftsteller an. 3,5 Mio. Touristen besuchen die Halbinsel heutzutage während der Sommermonate. Das sichtbare Ergebnis dieser Flut sind Motelalleen und Supermärkte vor allem in der Südhälfte der Halbinsel. An der Rte. 6A vermitteln die idyllischen alten Dörfer und die angenehme Meeresbrise aber noch immer das unverwechselbare Cape-Cod-Gefühl.

▬▬ RUNDFAHRT ▬▬

Zwei Brücken führen über den 1914 ausgehobenen Kanal vom Festland nach Cape Cod. An der Rte. 28 liegt *Falmouth* (4100 Ew.), um dessen Green sich etliche alte Häuser reihen. Südlich davon befindet sich *Woods Hole* (900 Ew.), Ausgangspunkt der Fähren nach Martha's Vineyard und Nantucket, östlich *Hyannis* (15 000 Ew.). In dessen Hafenvorort *Hyannisport* liegt hinter dichten Hecken der Sommersitz der Kennedy-Familie. Den besten Eindruck verschaffen sich Kennedy-Fans im *John F. Kennedy Hyannis Museum (379 Main St. | Juni–Okt. Mo–Sa 9–17, So 12–17 Uhr, Nov.–Dez. und Feb.–Mai Do–Sa 10–16, So 12–16 Uhr | Eintritt 5 \$ | www.jfkhyannismuseum.org).*

Vom malerischen Ort *Chatham* (6600 Ew.) aus legt ein Wassertaxi zu den Stränden von South und North Beach Island sowie zur National Wildlife Refuge Monomoy Island ab.

Die Rte. 6 und parallel dazu die langsamere Rte. 6A führt nach ▶▶ *Provincetown* (3200 Ew.), Künstlerkolonie und Sommertreffpunkt Tausender Homosexueller aus allen Teilen der USA. „P-Town" zählt neben San Francisco und Key West zu den tolerantesten Städten der USA. In der freundlichen Atmosphäre des alten Walfängerhafens blüht eine hervorragende Hotellerie und Gastroszene. In Provincetown steht auch der 70 m hohe Turm des ✺ *Pilgrim Monument (High Pole Hill/Winslow St.),* eine Kopie der Torre del Mangia in Siena, von dessen Spitze man bis nach Boston hinüberblicken kann. Das darunter gelegene *Provincetown Museum* zeigt u.a. die Kapitänsjüte eines Walfangboots. *Beide Juli bis Aug. tgl. 9–19 Uhr, April–Juni und Sept.–Nov. 9–17 Uhr | Eintritt 8 \$ | www.pilgrim-monument.org*

Kontrast zu dem lebhaften Betrieb in Provincetown bietet der kleine Ort *Wellfleet* (2500 Ew.), von dessen Austernbänken die meisten Cape-Austern stammen. Besonders charmant sind die Orte *Brewster* (2200 Ew.) an der alten Küstenstraße Rte. 6A, *Yarmouthport* (5400 Ew.) und *Barnstable* (48 000 Ew.), wo einige der schönsten Inns und Restaurants der Insel liegen.

Der Kern von *Sandwich* (3000 Ew.), der ältesten Siedlung auf dem Cape, stammt aus dem Jahr 1639. Das älteste Gebäude ist das *Hoxie House (Water St., Rte. 130).* Weitere Attraktionen: das aus einer Glasfabrik hervorgegangene *Sandwich Glass Museum (129 Main St. | April–Dez. 9.30–17, Feb.–März Do–So 9.30–16 Uhr | Eintritt 5 \$ | www.sandwichglassmuseum.org)* und die *Heritage Plantation of Sandwich (67 Grove St. | April–Okt. tgl. 10 bis 17 Uhr | Eintritt 12 \$ | www.heritage*

museumsandgardens.org) mit einem Sammelsurium sehenswerter Amerikana, darunter Gary Coopers Auto, einem Dusenberg.

ESSEN & TRINKEN

FRONT ST.
Feines Bistro, mediterran inspirierte Küche. *230 Commercial St., Provincetown | Tel. 508-487-97 15 | €€*

PORTUGUESE BAKERY
Einfache Bäckerei mit Restaurant, seit vier Generationen im Besitz einer portugiesischen Familie. Täglich frisches Brot und portugiesische Spezialitäten. *299 Commercial St., Provincetown | Tel. 508-487-18 03*

ÜBERNACHTEN

BED & BREAKFAST CAPE COD
Unterkünfte zwischen 75 und 200 $. Man spricht Deutsch! *P.O. Box 1312, Orleans | Tel. 508-255-38 24 | Fax 240-05 99 | www.bedandbreakfastcapecod.com*

THE BELFRY INNE & BISTRO
Gemütliches Inn in schönem altem Queen-Ann-Style-Haus. Dazu gehören auch eine kleine, modifizierte Kirche und ein weiteres historisches Haus. *23 Zi. | 8 Jarves St., Sandwich | Tel. 508-888-85 50 | www.belfryinn.com | €–€€€*

CHATHAM BARS INN
Traditionsreiches Hotel mit privatem Strand und Pools. *205 Zi., 34 Cottages | Shore Rd., Chatham | Tel. 508-945-00 96 | www.chathambarsinn.com | €€€*

CROWN & ANCHOR
Die Hotellegende im Herzen der alten Walfängerstadt. Früher Schauplatz wilder Partys, heute mit ▶▶ Gaydisko mit Karaoke und zünf-

Unverstellter Seeblick: Sommerhäuser am Strand von Provincetown

tigem Seafoodrestaurant. *28 Zi. | 247 Commercial St., Provincetown | Tel. 508-487-14 30 | www.onlyatthe-crown.com | €–€€*

FREIZEIT & SPORT
BOOTE
Motor- und Segelboote können Sie in jedem Hafen mieten, u. a. bei *Flyer's (131 A Commercial St., Province-town | Tel. 508-487-08 98 | www.fly ersboats.com).*

FAHRRÄDER
Cape Cod ist von Fahrradwegen durchzogen. Empfehlenswert sind der *Cape Cod Rail Trail* (von Dennis bis Eastham) und der *Provincelands Trail* (er führt durch das Gebiet der Cape Cod National Seashore bis hi-nauf nach Provincetown).

Insider Tipp

STRÄNDE
Die *Cape Cod National Seashore* an der Nordwestküste zwischen Chat-ham und Provincetown bietet präch-tigen Sand, Dünen, Sumpflandschaft, Rad- und Wanderwege. *Cape Cod National Seashore Headquarters, Rte. 6, Eastham | Tel. 508-255-34 21*

WHALE WATCHING
In T
Von Mitte April bis Oktober tummeln sich die Wale vor der *Stellwagen Bank* 15 km östlich von Province-town. Die riesigen Meeressäuger sind ein beeindruckender Anblick. *Portuguese Princess Excursions, MacMillan Wharf, Provincetown | Tel. 508-240-36 36*

AUSKUNFT
CAPE COD CHAMBER OF COMMERCE
307 Main St., Hyannis | Tel. 508-362-32 25 | www.capecodchamber.org

ZIEL IN DER UMGEBUNG
MONOMOY ISLAND [125 F4]
Durch eine übergroße Flutwelle zweigeteilte Insel, 8 km südlich von Chatham. Tagestrips mit geführten Touren ins Monomoy National Wild-life Refuge mit seinen seltenen Rehen, Reptilien und Vögeln bietet *Monomoy Island Ferry (Capt. Keith Lincoln | Chatham, Wikis Way | Tel.*

In T

Cape Cod: Die schönen langen Sandstrände laden zum Sonnen und Spazierengehen ein

508-945-54 50 | www.monomoyis landferry.com).

DEERFIELD

[124 C2] **Zweimal fiel das fotogene Dorf (5000 Ew.) im Tal des Connecticut River, dem Pioneer Valley, im 18. Jh. Überfällen feindlicher Indianer zum Opfer. In den 1950er-Jahren stellte eine Bewohnerinitiative die rund um die Main St. gruppierten Häuser als Historic Deerfield unter Schutz.** Über ein Dutzend dieser rund 80 historischen Häuser sind heute volkskundliche Museen *(The Street, Rte. 5/Rte. 10, via Exit 24 North der I-91 | April–Dez. tgl. 9.30–16.30 Uhr | Eintritt 14 $ | www.historic-deer field.org).*

Das *Deerfield Inn* bietet in einem historischen Gebäude 23 Zimmer *(81 Main Street | Tel. 413-774-55 87 | Fax 775-72 21 | www.deerfieldinn. com | €€€).* Das Restaurant serviert Speisen nach Rezepten, die in der Bibliothek des Orts gefunden wurden. Im *Sienna (6 Elm St. | Tel. 413-665-02 15 | €€)* können Sie in ansprechendem Interieur erstklassige regionale Cuisine genießen.

70 km südöstlich liegt an der Route 20 *(Exit 2 der I-84)* das *Old Sturbridge Village (April–Okt. tgl. 9.30–17, Nov.–März Di–So 9.30–16 Uhr | Eintritt 20 $ | www.osv.org)*, ein mit 40 alten Häusern aus ganz Neuengland authentisch nachempfundenes Dorf, das die Stimmung von 1830 einfängt, als Sturbridge die Grenze zum Wilden Westen war. Das *Publick House Historic Inn (Rte. 131, Sturbridge | Tel. 508-347-33 13 | www.publickhouse.com | €€–€€€)* hat 17 Zimmer mit kolonialem Flair.

Old Sturbridge: Zeitreise ins Jahr 1830

Im Restaurant gibt es Neuengland-Hausmannskost.

GLOUCESTER

[125 E2] **In seinem Bestseller „Der Sturm" beschrieb der Journalist Sebastian Junger den Untergang eines Fischerboots aus diesem Hafenstädtchen (31 000 Ew.) auf Cape Ann in einem der gefürchteten Stürme, die von Nordosten aufziehen.** Bis heute lebt man hier, eine halbe Autostunde nördlich von Boston, vom Meer: Die örtliche Fischereiflotte ist die größte der Ostküste.

▇▇▇ ESSEN & TRINKEN ▇▇▇
THE GULL
Deftige Küche, vor allem Seafood. Hier treffen sich *locals* und Touristen. *75 Essex Ave. (Rte. 133) | Tel. 978-281-60 60 | €*

◾ EINKAUFEN ◾

Die Galerien, Studios und Läden von *Rocky Neck (gleich neben der Main St.)* bieten Etliches für Kunstsammler.

◾ ÜBERNACHTEN ◾

VISTA MOTEL ☾

Motel mit Hafenblick und Pool. *40 Zi. | 22 Thatcher Rd. | Tel. 978-281-34 10 | Fax 283-73 35 | www.vistamotel.com | €–€€*

◾ FREIZEIT & SPORT ◾

Insider Tipp WHALE WATCHING

Gloucester ist nur 20 km von der *Stellwagen Bank* entfernt, der Futterstelle von Walen, Haien und Delphinen. Trips: *Cape Ann Whale Watch, 415 Main St. | Tel. 1-800-877-51 10 | www.caww.com*

◾ AUSKUNFT ◾

CAPE ANN CHAMBER OF COMMERCE

33 Commercial St., Gloucester | Tel. 978-283-16 01 | www.capeanncham ber.com

◾ ZIEL IN DER UMGEBUNG ◾

ROCKPORT   [125 E2]

Nicht versäumen sollten Sie die wenige Kilometer dauernde ☾ Autofahrt auf der Rte. 127 A nach Rockport mit herrlichen Blicken auf Fischerhäfen und die Felsküste des Atlantik. Die frühere Künstlerkolonie Rockport ist inzwischen sehr touristisch. Im Ort gibt es eine ganze Reihe netter historischer Inns. Übernachtung mit Seeblick im ☾ *Yankee Clipper Inn (26 Zi. | 127 Granite St. | Tel. 978-546-34 07 | Fax 546-97 30 | www.yankeeclipperinn.com | €€–€€€*

MARTHA'S VINEYARD

[125 E4] ★ **Ein Bostoner Kaufmann namens Mayhew kaufte 1660 die 330 km² große Insel. Seine Söhne missionierten die Wampanoag-Indianer, deren Nachfahren noch heute in Gay Head am Westende der Insel leben.** Den Rest des Eilands hat Prominenz aus Film und Politik zum Wochenend- und Feriendomizil erkoren. Mancher Besucher fühlt sich auf Martha's Vineyard (15 000 Ew.) an die irische Küste erinnert. Mit dem Auto kommen Sie per Fähre von Woods Hole *(Steamship Authority | Tel. 508-477-86 00),* als Passagier oder Radfahrer auch von Hyannis *(Hy-Line Cruises | Tel. 508-778-26 00)* oder von New Bedford *(Cape Island Express Line | Tel. 508-997-16 88)* auf die Insel. Im Sommer und am Wochenende sollten Sie für die Autoüberfahrt rechtzeitig reservieren! Sie können die Insel aber auch gut per Fahrrad erkunden.

◾ RUNDFAHRT ◾

Vineyard Haven, wo die Fähren von Cape Cod anlegen, ist ein verschlafener Ort geblieben. *Oak Bluffs* hingegen ist stark kommerzialisiert. Einen Blick wert sind die viktorianischen Häuser von *Cottage City* in der Ortsmitte. Das perfekte Ferienidyll bietet *Edgartown.* Vor seiner Küste liegt, durch eine Fähre zu erreichen, die Insel *Chappaquiddick.* In *West Tisbury* und *Chilmark* gibt es kleine Restaurants, die eine Pause auf einer Radtour nach *Gay Head* angenehm gestalten. Die Granitklippen von Gay Head erheben sich 50 m über die

MASSACHUSETTS

Farbenmeer über der Brandung: die Granitklippen von Gay Head auf Martha's Vineyard

Brandung und schillern in allen Rot- und Blautönen. Besonders bei Sonnenuntergang bietet das ☀ Kliff am Westende der State St. einen herrlichen Blick.

ESSEN & TRINKEN

BEACH PLUM INN & RESTAURANT

Die Nummer eins auf der Insel: Hier bekommen Sie ausgezeichneten Hummer und gute Ente. *Beach Plum Lane, Menemsha | Tel. 508-645-94 54 | €€€*

BITTERSWEET

Gerichte wie Lamm mit Rosmarin machen die Einkehr zum Genuss. *688 State Rd., West Tisbury | Tel. 508-696-39 66 | €€*

HOME PORT

Spezialität des Hauses ist frischer Fisch. Am Takeout Counter können Sie das Essen auch zum günstigeren Mitnahmepreis bestellen und auf den Bänken vorm Haus verzehren. *512 North Rd., Menemsha | Tel. 508-645-26 79 | €€*

EINKAUFEN

Schöne Antiquitätenläden, Galerien und Boutiquen finden Sie in Edgartown. Populär ist der Flohmarkt in Chilmark *(Mi und Sa jeweils vormittags).*

ÜBERNACHTEN

Privatzimmer vermitteln z.B. *Bed & Breakfast Cape Cod (Tel. 508-255-38 24 | Fax 240-05 99 | www.bedand breakfastcapecod.com).*

ADMIRAL BENBOW INN

Gemütliches Bed & Breakfast mit für Neuengland typischer Veranda. *7 Zi. | 81 New York Ave., Oak Bluffs | Tel. 508-693-68 25 | Fax 693-78 20 | www.admiral-benbow-inn.com | €€–€€€*

THE INN AT BLUEBERRY HILL

Luxuriöses Haus, früher eine Farm, mitten im Grünen. Mit Restaurant Theo's. *11 Zi. und ein Cottage | 74 North Rd., Chilmark | Tel. 508-645-33 22 | Fax 645-37 99 | www.blue berryinn.com | €€€*

der pp

TWIN OAKS INN

Zwei schnuckelige Inns in Edgartown unter einem Logo: das *Clark House Inn (20 Edgartown Rd. | Tel. 508-693-65 50 | Fax 693-32 26)* und das *Hanover House Inn (28 Edgartown Rd. | Tel. 1-800-696-86 33 | Fax 508-696-60 99)* bieten zusammen 20 gemütliche Zimmer an. *www.twinoaksinn.net | €€–€€€*

FAHRRÄDER

Vermietung: *R. W. Cutler Bike, Edgartown, 1 Main St. | Tel. 508-627-40 52*

GOLF

Auch die Mitglieder anderer Clubs können auf dem *Farm Neck Golf Club* in Oak Bluffs spielen *(Greenfee 145 $ für 18 Löcher | Tel. 508-693-30 57)*.

STRÄNDE

Der *East Beach* auf Chappaquiddick ist der am wenigsten überlaufene Strand. Surfer mögen den *South Beach*. Fürs Auto brauchen Sie einen Parkausweis, der mitunter im Hotel zur Verfügung gestellt wird. Am besten fahren Sie per Fahrrad zum Strand.

▮ AUSKUNFT ▮▮▮▮
MARTHA'S VINEYARD CHAMBER OF COMMERCE

Beach Rd., Vineyard Haven, im Sommer auch am Ferry Terminal | Tel. 508-693-00 85 | www.mvy.com

NANTUCKET
[125 F4] ★ **Nantucket, etwa halb so groß wie die Nachbarinsel Martha's Vine-**

yard, aber doppelt so weit vom Festland entfernt, bedeutet in der Indianersprache „weit entfernte Insel". Außer während der Hochsaison im Juli und August scheint auf der Insel (9000 Ew.) nichts von der Entwicklung auf dem Festland herüberzuschwappen. Der Grund: Um 1840 versandete der Hafen von Nantucket-Stadt. Die gewaltige Walfängerflotte konnte nicht mehr auslaufen, Nantucket musste vom Walfang auf den Tourismus umsatteln.

Typisch für die Insel sind Dünen, Strand und dichtes Buschwerk sowie die mit grau gebeizten Schindeln verkleideten wetterfesten Holzhäuschen. Sie gaben ihr einst den Kosenamen *Little grey lady in the sea*. Nach Nantucket setzt die Fähre von Hyannis auf Cape Cod über *(Steamship Authority | Tel. 508-477-86 00)*. Im Sommer ist es nicht ganz einfach, einen Platz fürs Auto zu bekommen. Am besten, Sie lassen es zurück. Nantucket ist eine Fußgänger- und Radfahrerinsel.

▮ MUSEUM ▮▮▮▮
WHALING MUSEUM

In der ehemaligen Waltran-Fabrik ist heute ein hochinteressantes Museum über die Geschichte des Walfangs in Nantucket untergebracht. *13 Broad St. | Sommer tgl. 10–17, Winter Sa, So 11–13 Uhr | Eintritt 15 $ | www.nha.org*

▮ ESSEN & TRINKEN ▮▮▮▮
THE BRANT POINT GRILL

Fisch vom Grill wird hier direkt am Wasser serviert. *White Elephant Resort, Easton Rd. | Tel. 508-325-13 20 | €€–€€€*

BROTHERHOOD OF THIEVES

Im gemütlichen Restaurant kommt abends gute Stimmung bei Livemusik auf. *23 Broad St. | Tel. 508-228-25 51 | €*

SEA GRILLE

Das gut besuchte Fischrestaurant hat auch eine hervorragende Weinkarte.

■ ÜBERNACHTEN ■

BRANT POINT INN/ ATLANTIC MAINSTAY

Nahe beim Leuchtturm liegen die zwei Inns mit hellen, großzügigen Räumen. *17 Zi., 2 Suiten | 6 North Beach St. | Tel. 508-228-54 42 | Fax 228-84 98 | www.brantpointinn.com | €€–€€€*

„Ein Haufen Sand": So beschrieb Melville in seinem Walfängerroman „Moby Dick" Nantucket

45 Sparks Ave. | Tel. 508-325-57 00 | €–€€

■ EINKAUFEN ■

FOUR WINDS CRAFT GUILD

Früher trugen die Frauen von Nantucket Körbe mit kunstvoll verzierten Deckeln als Handtaschen. Die schönsten dieser tradtionellen *lightship baskets* können Sie am *6 Ray Court* kaufen.

BRASS LANTERN INN

Dieses gemütliche Haus befindet sich im historischen Viertel. *17 Zi. | 11 North Water St. | Tel. 508-228-40 64 | Fax 325-09 28 | www.brass lanternnantucket.com | €€*

■ FREIZEIT & SPORT ■

FAHRRÄDER

Das Fortbewegungsmittel Nummer eins können Sie bei *Young's Bicycle*

Shop (6 Broad St. | Tel. 508-228-11 51) mieten.

STRÄNDE

Surfside ist der Spielplatz der Surfer, *Madaket* und *Siasconset* sind eher einsam.

■ AUSKUNFT ■

NANTUCKET CHAMBER OF COMMERCE
Zero Main St. | Tel. 508-228-17 00 | Fax 325-49 25 | www.nantucket chamber.com

NEW BEDFORD

[125 E4] Einige der alten Patrizierhäuser sind in der ansonsten gesichtslosen Hafenstadt (92 000 Ew.) in gutem Zustand geblieben. Ein Abstecher in die frühere Walfängerstadt lohnt vor allem wegen des *New Bedford Whaling Museum (18 Johnny Cake Hill | Mo–Sa 9–16, So 12–16 Uhr | Eintritt 10 $ | www.whalingmuseum.org)*, dem besten seiner Art in Neuengland.

Insider Tipp

Das Haus ist der 200-jährigen Walfanggeschichte New Bedfords gewidmet und informiert auch über Herman Melville, der sich hier zu seinem weltberühmten Roman „Moby Dick" inspirieren ließ. Highlight ist das mit 27 m längste Schiffsmodell der Welt, ein Nachbau der *Lagoda*. Bis 1886 war das Segelschiff auf der Suche nach Walen unterwegs.

Gute Steaks bekommen Sie im historischen Viertel bei *Freestone's City Grill (41 William St. | Tel. 508-993-74 77 | €)*. Auskunft: *Southeastern Massachusetts Convention and Visitors Bureau (70 North Second St. | Tel. 508-997-12 50 | www.bristolcounty.org)*

SALEM

[125 E2] Puritanische Massenhysterie führte in dem Küstenort 20 Autominuten nördlich von Boston (42 000 Ew.) zu den sogenannten Hexenprozessen, in deren Verlauf 19 Frauen gehängt wurden. Mehr

New Bedford Whaling Museum: Neuenglands bestes Museum über Wale und Walfang

als 200 wurden 1692 im *Witch House (310 Essex St. | tgl. 10–17 Uhr | Eintritt $ 8 | www.salemweb.com/witchhouse)* unter Folter verhört. Zu Anfang des 19. Jhs. erwarb sich Salem einen angenehmeren Ruf: Von hier aus wurde schwunghafter Handel mit China getrieben. Schiffbauer, Reeder und Kapitäne bauten sich prachtvolle Häuser mit Seeblick. Verschiedene Gebäude an der Derby St. und der Derby Wharf sind restauriert.

SEHENSWERTES

HOUSE OF THE SEVEN GABLES

Historischer Gebäudekomplex, der 300 Jahre Salem dokumentiert. *54 Turner St. | im Winter tgl. 10–17 Uhr, im Sommer tgl. 10–19 Uhr | Eintritt 12 $ | www.7gables.org*

PEABODY AND ESSEX MUSEUM ★

Im Peabody, einem der besten Museen der Ostküste, sind vor allem Schätze aus dem Chinahandel der Stadt zu sehen, darunter filigran verzierte Stoßzähne. Zum 1799 gegründeten Museum gehören 24 historische Gebäude, darunter ein original rekonstruiertes chinesisches Haus aus dem 19. Jh. sowie ein 2003 fertiggestellter Erweiterungsbau des israelischen Architekten Moshe Safdie. *East India Square | Di–So 10–17 Uhr | Eintritt 15 $ | www.pem.org*

SALEM WITCH MUSEUM

Audiovisuelle Präsentation der Hexenprozesse von 1692 – mit Wachsfiguren und Kunstblut. *Washington Square | Juli und Aug. tgl. 10 bis 19 Uhr, Sept.–Juni 10–17 Uhr | Eintritt 8 $ | www.salemwitchmuseum.com*

ESSEN & TRINKEN

STREGA

Mit seinem theatralischen Dekor so dramatisch wie Tosca: moderner Italiener mit raffiniert zubereiteten Pasta-, Fisch- und Fleischgerichten. Klasse Weinkarte! *Lafayette St. | Tel. 978-741-00 04 | €€*

ÜBERNACHTEN

HAWTHORNE'S

89 Zimmer und Suiten mit alten Möbeln im historischen Viertel. *18 Washington Square West | Tel. 978-744-40 80 | Fax 745-98 42 | www.hawthornehotel.com | €€ – €€€*

AUSKUNFT

SALEM CHAMBER OF COMMERCE

265 Essex St., Salem | Tel. 978-744-00 04 | Fax 745-38 55 | www.salemchamber.org

ZIEL IN DER UMGEBUNG

MARBLEHEAD   [125 E3]

5 km östlich von Salem errichteten gut betuchte Bürger einst ihre Sommerhäuser am Meer. Dabei war Marblehead (20 500 Ew.) als Fischerdorf bei den puritanischen Bostonians wegen wilder Trinksitten im Verruf. Heute präsentiert sich der Ort mit seinen gewundenen Straßen, hübschen Galerien und Restaurants eher charmant. Die beste Fischsuppe gibt es bei *The Barnacle (141 Front St. | Tel. 781-631-42 36).*

STOCKBRIDGE

[124 B3] **Das fotogene Städtchen im Herzen der Berkshire Hills gilt als eine der Visitenkarten Neuenglands.** 1734 als Missionsposten für die Indianer gegründet, brachte die Ostküstenprominenz im 19. Jh. Wohlstand in die Ackerbaugemeinde. Heute leben die 2400 Ew. vor allem vom Tourismus und von Norman Rockwell. *America's most beloved artist* verewigte u. a. die historische Häuserfront an der Main St., das Gemälde ziert heute Postkarten, T-Shirts und Poster. Dank seiner guten Hotels und Restaurants ist Stockbridge die ideale Basis für eine Erkundung der Umgebung.

MUSEUM

NORMAN ROCKWELL MUSEUM

Das fünf Autominuten westlich von Stockbridge in einer idyllischen Parklandschaft liegende Museum zeigt über 150 Werke des Illustrators und Malers Norman Rockwell (1894–1978). Rockwell, der mehrere Jahrzehnte die Titelbilder für die „Saturday Evening Post" lieferte, malte Amerika so, wie er es sehen wollte: friedlich und harmonisch. Das brachte ihm Kritik ein – und anhaltende Popularität in der breiten Bevölkerung. *9 Glendale Rd. | Mai bis Okt. tgl. 10–17, Nov.–April Mo bis Fr 10–16, Sa–So 10–17 Uhr | Eintritt 15 $ | www.nrm.org*

ESSEN & TRINKEN ÜBERNACHTEN

THE RED LION INN

Insider Tipp Eine Terrasse mit Schaukelstühlen zum *peoplewatching*, während das Leben auf der Main St. vorbeifließt: Das historische *Red Lion Inn* ist eine Institution. Mit schön altmodischem Restaurant, das international angehauchte amerikanische Küche serviert. *111 Zi. | 30 Main St. | Tel. 413-298-55 45 | Fax 298-51 30 | www.*

redlioninn.com | €–€€ (Restaurant), €€–€€€ (Hotel)

AUSKUNFT

BERKSHIRE VISITORS BUREAU

3 Hoosac St., Adams | Tel. 413-743-45 00 | Fax 413-743-45 60 | www.berkshires.org

ZIELE IN DER UMGEBUNG

ARROWHEAD   [124 B3]

20 Autominuten südlich liegt an der Rte. 7 Richtung Pittsfield das Haus, in dem Herman Melville 1850–63 lebte und seinen Walfängerroman „Moby Dick" geschrieben hat. *780 Holmes Rd. | tgl. 9.30–16 Uhr | Eintritt 12 $ | www.mobydick.org*

GILDED AGE COTTAGES   [124 B3]

Um die Wende zum 20. Jh. waren die Berkshires neben Newport (Rhode Island) und Bar Harbor in Maine das Gebiet, in dem reiche New Yorker und Bostoner ihre protzigen Sommerhäuser bauten, die sie mit viel Untertreibung *cottage* (Kate) nannten. Zu besichtigen sind zum Beispiel *Naumkeag (10 km entfernt | tgl. 10 bis 17 Uhr | Eintritt 10 $ | von Stockbridge aus auf die Pine Str. nach Norden, dann links auf die Prospect Hill Rd. abbiegen)* und *Chesterwood (15 km entfernt | tgl. Mai–Okt. 10–17 Uhr | Eintritt 15 $ | www.chesterwood.org | von Stockbridge aus auf der Main St. nach Westen, ausgeschildert).*

HANCOCK SHAKER
VILLAGE ★   [124 B2]

300 Mitglieder der Glaubensgemeinschaft der Shaker lebten in den 30er-Jahren des 19. Jhs. in diesem Dorf,

enthaltsam wie in einem Kloster. Das Dorf wurde 1960 wegen Nachwuchsmangels in ein großzügig angelegtes Freilichtmuseum umgewandelt. Erhalten sind 20 Gebäude – so viele wie in keinem anderen Shakerdorf Neuenglands. Sie dokumentieren Architektur, Wohnkultur mit originalen Shakermöbeln, Werkzeugbau und Gartenanbau der strengen Quäkersekte. Ein Meisterwerk funktionalen Designs ist der kreisrunde, aus Stein errichtete dreistöckige Stall, in dem ein einzelner Mann 54 Kühe gleichzeitig füttern konnte. Angeschlossen sind ein einfaches Restaurant und eine Geschenkboutique. *Rte. 20, 15 km nördlich von Stockbridge in Hancock | Mitte April–Mitte Mai tgl. 10–16 Uhr, Ende Mai–Mitte Okt. tgl. 10–17 Uhr | Eintritt 15 $ | www.hancockshakervillage.org*

LENOX [124 B2]

Zwischen Ende Juni und September ist die liebliche Waldlandschaft der ★ *Berkshire Hills* rund um das vornehme Städtchen Lenox (8 km nördlich von Stockbridge) die Bühne für Amerikas profiliertestes Freiluftmusikfestival. Das parkähnliche Gelände des *Tanglewood Festivals (Tel. 413-637-61 80 | www.bso.org)* ist die Sommerresidenz des Boston Symphony Orchestra. Die Besucher picknicken und lauschen den erstrangigen Jazz- und Klassikkonzerten bekannter Gastinterpreten. Zur Einkehr empfiehlt sich das elegante *Village Inn* in der Ortsmitte (*32 Zi. | 16 Church St. | Tel. 1-800-253-09 17 | www.villageinn-lennox.com | €€– €€€). Auskunft: Lenox Chamber of Commerce, Curtis Five Walker St. | Tel. 413-637-36 46 | www.lenox.org*

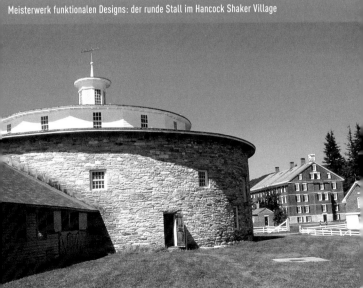

Meisterwerk funktionalen Designs: der runde Stall im Hancock Shaker Village

> EINSAMKEIT UND FREIHEITSLIEBE

Im gebirgigen Norden zeigt sich Neuengland von seiner raueren Seite

> **Wildromantisch ist es im Norden Neuenglands: Von dichtem Wald umgeben, zu Füßen oft steil aufragender Berge, liegen schöne kleine Dörfer mit ebenso schönen weißen Holzhäusern und Kirchen.**

Die bewaldeten Bergketten, aus denen nackte Felskuppen ragen, gaben Vermont seinen ursprünglich französischen Namen. Die selbstständige Republik trat 1791 als 14. Staat der Union den 13 amerikanischen Gründerstaaten bei, behielt aber stets ihre Eigenheiten. Der Staat zwischen Kanada und Massachusetts, mit einer Fläche von 25 000 km² etwas größer als Hessen, schaffte als erster Bundesstaat die Sklaverei ab. Hier, im einzigen Binnenstaat Neuenglands, begründeten in den 1960er-Jahren Hippies und liberale Denker Vermonts soziale und umweltpolitische Traditionen.

Milch, Käse, Ahornsirup und Obst blieben viele Generationen lang die

Bild: White Mountains

VERMONT UND
NEW HAMPSHIRE

Haupterzeugnisse der Wirtschaft Vermonts. Vor 30 Jahren entdeckten New Yorker den verschlafenen Landstrich, in dem heute 620 000 Menschen leben. Die Großstädter kommen besonders gern im Indian Summer, wenn sich das Laub zum herbstlichen Feuerwerk verfärbt. Auch als Wintersportrevier hat sich Vermont, dessen Skihänge bis zu 1500 m hoch liegen, einen Namen gemacht.

Das rauere New Hampshire spielt alle vier Jahre seine auf nationalem Parkett wichtigste Rolle: als erster Auszählstaat während der innerparteilichen Präsidentschaftsvorwahlen. Sein konservatives Erbe hat der Bundesstaat stets bewahrt. Dazu gehört eine Abneigung gegen Beamte und jegliche Bevormundung aus Washington. Das offizielle Motto New Hampshires lautet nicht von ungefähr „Live free or die" und prangt auf allen Autonummernschildern. Die 1,3 Mio. Bewohner beziehen ihr Einkommen vor allem aus der verarbeitenden Industrie und dem Tourismus. 1300 Seen und die mächtigen White Mountains mit dem Mt. Washington, dem höchsten Berg im Nordosten der USA (1917 m), sind für Sommerfrischler ideal. Mehr als 80 Prozent

rants und Coffeeshops idealer Stützpunkt für Tagestrips in die Green Mountains.

██ ESSEN & TRINKEN ██████

PETER HAVENS
Raffinierte Gerichte wie Filet Mignon in Walnussbutter. *32 Elliot St. | Tel. 802-257-33 33* | €€

So lebten Neuenglands erste Siedler: historische Häuser im Shelburne Museum

der Gesamtfläche von New Hampshire sind von Wald bedeckt.

BRATTLEBORO

[122 B5] **Das 12 000 Einwohner zählende Städtchen im Südosten von Vermont wurde Mitte des 19. Jhs. ein Erholungszentrum. Rudyard Kipling schrieb hier sein berühmtes „Dschungelbuch".** Heute ist Brattleboro dank guter Restau-

██ ÜBERNACHTEN ██████

THE LATCHIS ✹
Herberge im Art-déco-Stil, mit griechischen Friesen und Blick auf den Fluss. *30 Zi. | 50 Main St. | Tel. 802-254-63 00 | www.latchis.com* | €–€€

██ FREIZEIT & SPORT ██████

KANU
Das *Vermont Canoe Touring Center* organisiert ein- und zweitägige

UND NEW HAMPSHIRE

Flusstouren. *451 Putney Rd. | Tel. 802-257-50 08*

SCHIFFSTOUR ☆
Die *Belle of Brattleboro (28 Springtree Rd. | Tel. 802-257-75 63)* kreuzt auf dem Connecticut River und bietet während des Indian Summer spektakuläre Blicke auf die Wälder.

■ AUSKUNFT ■
BRATTLEBORO CHAMBER OF COMMERCE
180 Main St. | Tel. 802-254-45 65 | www.brattleborochamber.org

■ ZIEL IN DER UMGEBUNG ■
MARLBORO [122 B5]
15 km westlich liegt der Collegeflecken Marlboro. Ende Juli bis Mitte August findet das Marlboro Music Festival für Kammermusik, im Herbst das New England Bach Festival statt. Unterkunft im gemütlichen *Whetstone Inn (Rte. 9 | 11 Zi. | Tel. 802-254-25 00 | www.whetstoneinn.com | €)*.

BURLINGTON
[122 A3] **Die größte Stadt Vermonts wurde durch Bootsbau und Holzverarbeitung** groß. Heute ist Burlington (40 000 Ew.) das Wirtschaftszentrum von Vermont. Die Stadt liegt auf zum Lake Champlain abfallenden Hängen. Das Stadtbild prägen die rund 10 000 Studenten der University of Vermont.

■ SEHENSWERTES ■
SHELBURNE MUSEUM ★
35 Bauwerke, die in verschiedenen Teilen von Neuengland gerettet und hier wieder aufgebaut wurden, darunter eine überdachte Brücke, ein Zirkusgebäude und der Raddampfer „Ticonderoga". *Rte. 7, Shelburne, 5 km südlich von Burlington | Mitte Mai–Okt. tgl. 10–17 Uhr | Eintritt 20 $ | www.shelburnemuseum.org*

■ ESSEN & TRINKEN ■
CAFE SHELBURNE
Bistro mit exzellenter französischer Küche. *Rte. 7, Shelburne | Tel. 802-985-39 39 | €€*

■ EINKAUFEN ■
Geschäfte und Restaurants säumen die Main St. und die Uferpromenade. Die Fußgängerzone *Church Street Marketplace (www.churchstmarket*

MARCO POLO HIGHLIGHTS

★ **Killington**
Skilaufen, Mountainbiking und Wandern auf sieben Bergen (Seite 75)

★ **Franconia Notch**
Steile Schlucht in den White Mountains (Seite 73)

★ **Mt. Washington Auto Road**
13 km Serpentinenfahrt mit phantastischen Ausblicken (Seite 73)

★ **Mt. Washington Hotel**
Eines der letzten Grandhotels von Neuengland (Seite 73)

★ **Shelburne Museum**
35 historische Bauwerke, darunter ein Leuchtturm und ein Gefängnis (Seite 67)

★ **Woodstock**
Hübsches Neuenglandstädtchen mit prächtigen Häusern (Seite 74)

place.com) überrascht mit zahlreichen, auch internationalen Restaurants und Cafés.

▪ ÜBERNACHTEN ▪
THE INN AT SHELBURNE FARMS
Im früheren Sommersitz der Webbs und Vanderbilts haben ☀ viele Zimmer einen herrlichen Blick auf den Lake Champlain und die Adirondack

▪ AUSKUNFT ▪
LAKE CHAMPLAIN REGIONAL CHAMBER OF COMMERCE
60 Main St. | Tel. 802-863-34 89 | Fax 863-15 38 | www.vermont.org

▪ ZIEL IN DER UMGEBUNG ▪
LAKE CHAMPLAIN   [122 A2–3]
Der an seiner breitesten Stelle 20 km schlanke Lake Champlain reicht von

Vor dem State House in Concord: Monument von Franklin Pierce, 14. Präsident der USA

Mountains. *24 Zi. | Bay Rd./Harbor Rd., Shelburne | Tel. 802-985-84 98 | www.shelburnefarms.org | €€€*

▪ FREIZEIT & SPORT ▪
KAJAK
Paddeltouren auf dem *Lake Champlain* und in Maine organisiert *Paddle-Ways (Tel. 802-238-06 74 | www.paddleways.com).*

der kanadischen Grenze 200 km nach Süden und trennt Vermont vom Bundesstaat New York. Im sechstgrößten See der USA liegen rund 60 Inseln. ☀ Fähren über den See verkehren zwischen Charlotte (Vermont) und Essex (New York) sowie Burlington *(Abfahrt: King St. Dock | Tel. 802-864-98 04)* und Port Kent (New York).

UND NEW HAMPSHIRE

CONCORD

[122 C5] **Der Regierungssitz von New Hampshire und die zweitgrößte Stadt des Staates (42 000 Ew.) liegt im Tal des Merrimack River.** Würdig strahlt das State House mit seiner vergoldeten Kuppel, umringt von Denkmälern der wichtigsten Politiker des Staates.

Das *Barley House (132 Main St. | Tel. 603-228-63 63 | €€)* ist tagsüber lebhafter Treff der gegenüber im State House verkehrenden Würdenträger. Serviert werden Sandwiches, Steaks, Burger, Pasta. 32 Zimmer in typisch viktorianischem Neuenglanddekor bietet das 1892 erbaute *Centennial Inn (96 Pleasant St. | Tel. 603-227-90 00 | Fax 225-50 31 | www.thecentennialinn.com | €€). Auskunft: Greater Concord Chamber of Commerce, 40 Commercial St. | Tel. 603-224-25 08 | www.concord nhchamber.com*

Im *Canterbury Shaker Village*, 20 km nördlich von Concord, finden Sie Architektur und Gartenbau in schlichter Schönheit, so wie es die Shakersekte predigte. Die 1792 gegründete Siedlung wurde bis 1992 von Shakern bewohnt. Seitdem ist sie ein Freilichtmuseum mit 25 Gebäuden *(288 Shaker Rd., Canterbury | 14. Mai–Okt. tgl. 10–17 Uhr, Nov. Fr, Sa, So 10–16 Uhr | Eintritt 15 $ | www.shakers.org)*. Im Snackrestaurant des Museums werden auch Shakergerichte wie Kartoffelsuppe und einfache Salate angeboten.

CORNISH

[122 B5] **Cornish ist ein schläfriges Städtchen (1700 Ew.) mit gleich vier der alten,** für Neuengland typischen überdachten *covered bridges.* Die *Cornish-Windsor Covered Bridge* über den Connecticut River nach Vermont ist mit 138 m die längste ihrer Art in den USA.

■■■ SEHENSWERTES ■■■

SAINT-GAUDENS NATIONAL HISTORIC SITE

Die Cornish Colony war eine Ende des 19. Jhs. florierende Künstlerkolonie unter der inoffiziellen Leitung des Bildhauers Augustus Saint-Gaudens (1848–1907). Dessen Haus und Atelier mit herrlichen Skulpturen

➤LOW BUDGET

> ➤ Ahornsirup, Nussbutter, hormonfreien Käse, Vermonter Bier, Öle und feine Vinaigrettes: Die schönsten organisch angebauten Produkte Vermonts verkauft zu Niedrigstpreisen der alternative Supermarkt *Brattleboro Food Coop. 2 Main St. | Mo–Sa 8–21, So 9–21 Uhr*

> ➤ Acht Dollar pro Auto kostet die siebenminütige „Kreuzfahrt" mit der *Ticonderoga Ferry:* Auf der Überfahrt von Shoreham (Vermont) nach Ticonderoga (New York) erleben Sie den Lake Champlain von seiner schönsten Seite *(www.middlebury.net/tiferry)*.

> ➤ Wer weder Straße noch Zahnradbahn bezahlen möchte, kann auch gratis auf den Mt. Washington gelangen. Der am Pinkham Notch Visitor Center beginnende *Tuckerman Ravine Trail* (6,5 km) führt direkt auf den Gipfel. Allerdings ist er auch einer der härtesten Wanderwege Neuenglands. *www.timefortuckerman.com/ tuckermanravinemap.html*

können Sie besichtigen. *Rte. 12 A | Mai–Okt. tgl. 9–16.15 Uhr | Eintritt 5 $ | www.nps.gov/saga*

■ ESSEN & TRINKEN ■
HOME HILL INN
Im schönen alten Inn am Connecticut River werden französisch inspirierte Speisen serviert. Das Restaurant ist zugleich eine renommierte Kochschule. *River Rd., Plainfield | Tel. 603-675-61 65 | €€€*

■ ÜBERNACHTEN ■
THE CHASE HOUSE B & B
Hotel aus dem 19. Jh., am Connecticut River gelegen. *8 Zi. | 1001 Rte. 12 A | Tel. 603-675-53 91 | Fax 675-50 10 | www.chasehouse.com | €€€*

■ AUSKUNFT ■
HANOVER CHAMBER OF COMMERCE
216 Main St. | Tel. 603-643-31 15 | www.hanoverchamber.org

■ ZIEL IN DER UMGEBUNG ■
HANOVER [120 B4]
Die Stadt am Upper Connecticut River (8100 Ew.) ist bekannt durch das 1769 gegründete *Dartmouth College,* die nördlichste der Ivy-League-Universitäten. *30 km nördlich*

MANCHESTER
[122 A5] **Im populären Sommerkurort in den Green Mountains (3600 Ew.) haben Sie eine ideale Aussicht vom 1147 m hohen** ☀ **Big Equinox Mountain.**

■ SEHENSWERTES ■
Insider Tipp
AMERICAN MUSEUM OF FLY FISHING
Hier sind Angelruten, Rollen und Köder berühmter Fliegenfischer aus-

gestellt. *4104 Main St. | Di–Sa 10–16 Uhr | Eintritt 5 $ | www.amff.com*

■ ESSEN & TRINKEN ■
RELUCTANT PANTHER INN & RESTAURANT
Vermonter Spezialitäten in charmantem Inn. *17–39 West Rd. | Tel. 802-362 25 68 | €€*

■ ÜBERNACHTEN ■
MANCHESTER VIEW MOTEL ☀
36 Zimmer mit Terrasse und Blick über weite Felder auf die Green Mountains. Pool, Angeln, Wanderwege. *Rte. 7 A | Tel. 1-800-548-41 41 | www.manchesterview.com | €–€€*

■ FREIZEIT & SPORT ■
GOLF
Der vom traditionsreichen *Equinox Hotel* betriebene *Golf Club at Equinox* ist einer der schönsten Neuenglands. *Rte. 7 A | Tel. 802-362-32 23*

RADWANDERN [122 B4]
Fahrradtouren von Inn zu Inn durch die bukolische Landschaft Vermonts stellt *Cycle-Inn Vermont (Tel. 802-228-87 99)* im 40 km entfernten Ludlow zusammen.

■ AUSKUNFT ■
MANCHESTER AND THE MOUNTAINS CHAMBER OF COMMERCE
5046 Main St., Suite 1, Manchester | Tel. 802-362-21 00 | www.manchesterchamber.net

■ ZIEL IN DER UMGEBUNG ■
GREEN MOUNTAIN FLYER [122 B5]
Historische Eisenbahnwagen von Mitte Juni bis Anfang Oktober zwi-

UND NEW HAMPSHIRE

schen Bellows Falls und Chester. Herrlich im Herbst. *Di–So | 54 Depot St., Bellows Falls, 40 km östlich | Tel. 802-463-30 69*

MONTPELIER

[122 B3] **Mit rund 8000 Einwohnern ist das von grünen Bergen umgebene Montpelier Amerikas kleinste Hauptstadt.** Unter der weithin sichtbaren goldenen Kuppel des *Vermont State House (115 State St. | tgl. 8–16 Uhr)* lohnt die Ausstellung über Vermonts Rolle im Bürgerkrieg. Gleich daneben zeigt das *Vermont Museum (109 State St. | Mai–Okt. Di–Sa 10–16, So 12–16 Uhr; Nov.–April Di–Fr 10–16 Uhr | Eintritt 5 $)* Memorabilia aus Vermont, darunter Gegenstände aus dem Besitz Ethan Allens. Er führte den Staat im 18. Jh. zur Unabhängigkeit.

Eine Statue des streitbaren Vermonters schmückt den Eingang zum State House.

In *Chef's Table (118 Main St. | Tel. 802-229-92 02 | €€)* kochen die Schüler des renommierten New England Culinary Institute. Für ihre kreativen Rezepte verwenden sie ausschließlich regionale Zutaten. Übernachten können Sie im *Inn at Montpelier*, einem zentral gelegenen Haus im Kolonialstil *(19 Zi. | 147 Main St. | Tel. 802-223-27 27 | Fax 223-07 22 | www.innatmontpelier. com | €€). Auskunft: Vermont Chamber of Commerce | Tel. 802-223-34 43 | www.vtchamber.com*

PORTSMOUTH

[123 D5] **In der 26 000-Ew.-Stadt an der Atlantikküste wird der Rundgang durch**

Innen Marmor, die Kuppel vergoldet: das repräsentative State House von Montpelier

die schöne historische Innenstadt durch den markierten *Portsmouth Harbour Trail* erleichtert.

▓ SEHENSWERTES ▓

STRAWBERRY BANKE

Vorbildlich wurden im früheren Rotlichtviertel 42 historische Häuser restauriert und zu einem Freilichtmuseum, dem besten seiner Art in Neuengland, zusammengefasst. *64 Marcy St. | Mai–Okt. tgl. 10–17 Uhr | Eintritt 15 $ | www.strawberry banke.org*

▓ ESSEN & TRINKEN ▓

OAR HOUSE RESTAURANT

Spezialitäten aus Neuengland werden im historischen Hafen serviert. Livemusik! *55 Ceres St. | Tel. 603-436-40 25 | €€*

▓ ÜBERNACHTEN ▓

SISE INN

Das im Queen-Anne-Stil 1881 gebaute Hotel liegt mitten im Zentrum. *34 Zi. | 40 Court St. | Tel. 603-433-12 00 | Fax 431-02 00 | www.siseinn. com | €€€*

▓ AUSKUNFT ▓

GREATER PORTSMOUTH CHAMBER OF COMMERCE

500 Market St. | Tel. 603-436-39 88 | www.portsmouthchamber.org

▓ ZIEL IN DER UMGEBUNG ▓

ISLES OF SHOALS   [123 D5]

Um die neun felsigen Isles of Shoals ranken sich Geschichten von Piraten und gesunkenen Schiffen. Touren: *Isles of Shoals Steamship Co. (315 Market St., Portsmouth | Tel. 603-431-55 00).*

STOWE

[122 B3] **Der traditionsreiche Wintersportort (4400 Ew.) liegt am Fuß des Mt. Mansfield, des mit 1339 m höchsten Punkts in Vermont. Eine Gondelbahn und eine Autostraße führen zum jenseits der Baumgrenze liegenden Gipfel.** Es locken 45 Abfahrten und 30 km Langlaufloipen. Die fast 800 m lange *Alpine Slide* am *Spruce Peak (Tel. 802-253-30 00)* begeistert Kinder jeden Alters. Nördlich von Stowe führt die Rte. 108 durch ✹ *Smuggler's Notch.* Dort stehen Klippen und Felsen so dicht beieinander, dass sie in früheren Zeiten Schmugglern einen geheimen Pfad nach Kanada geboten haben.

▓ ESSEN & TRINKEN ▓

EMILY'S

Im Restaurant des *Stowehof Inn* werden amerikanische Gerichte in Tiroler Atmosphäre serviert. *434 Edson Hill Rd. | Tel. 802-253-97 22 | €€– €€€*

▓ ÜBERNACHTEN ▓

ALPENROSE MOTEL

Gemütliches Motel auf halbem Weg zur Gondel. *5 Zi. | 2619 Mountain Rd. | Tel. 802-253-72 77 | Fax 253-40 47 | €*

TRAPP FAMILY LODGE

Das Hotel der durch den Hollywoodklassiker „The Sound of Music" (Meine Lieder – meine Träume, 1964) berühmt gewordenen singenden Trapp-Familie. Skihüttengemütlichkeit, Tennis, Pool. *93 Zi. | 700 Trapp Hill Rd. | Tel. 802-253-85 11 | www.trappfamily.com | €€€*

Trapp Family Lodge in Stowe: Hüttengemütlichkeit in den Bergen von Vermont

STOWE AREA ASSOCIATION
51 Main St. | Tel. 802-253-73 21 |
www.gostowe.com

WHITE MOUNTAINS

[122 C3] ⚡ **Mt. Washington ist mit 1917 m die höchste Erhebung im Nordosten der USA.** Auf der 13 km langen ★ *Mt. Washington Auto Road (von Rte. 16, Pinkham Notch | Mai–Okt. tgl. 8–18 Uhr | 26 $ pro Person)* geht es in engen Serpentinen auf den Gipfel – oder mit der 1869 vollendeten ersten Zahnradbahn der Welt *Mt. Washington Cog Railway (Base Rd. via Rte. 302 | Mai–Okt. tgl. | dreistündige Rundfahrt 59 $ pro Person | Tel. 603-278-54 04 | www.thecog.com)* bzw. zu Fuß. Oben erwarten Sie arktische Tundra, eine 100 km weit reichende

Sicht über die Presidential Range, häufig stürmischer Wind und Temperaturunterschiede von bis zu 30 Grad.

Das 1902 erbaute ★ *Mt. Washington Hotel* in Bretton Woods wurde 1944 als Tagungsort des Weltwährungsfonds IWF berühmt. Heute ist das Grandhotel mit fünf Restaurants, mehreren Pools, Golfplatz und Massagesalon das schönste Überbleibsel aus den Kindertagen des Tourismus in Neuengland. *200 Zi. | Rte. 302, Bretton Woods | Tel. 603-278-10 00 | www.mtwashington.com | €€€*

Für alle Autofahrer, die den Indian Summer im Herbst erleben wollen, ist der 50 km lange ⚡ *Kancamagus Highway (Rte. 112)* zwischen Lincoln und Conway die spektakulärste Strecke. Das Tal der ★ ⚡ *Franconia Notch* bietet den Blick auf einen dramatisch geformten Einschnitt in die White Mountains. Höhepunkt des von der letzten Eiszeit aus den Appalachen gestanzten Tals mit fast senkrecht aufragenden Bergen war bis 2003 der *Old Man of the Mountain*, eine Felsformation, die dem Profil von US-Präsident Jefferson ähnelte. Im Mai 2003 jedoch zerstörte Steinschlag das Profil.

Übernachten und gut essen können Sie im historischen Gasthaus *Franconia Inn (35 Zi. | Easton Rd./Rte. 116, Franconia | Tel. 603-823-55 42 | www.franconiainn.com | €€–€€€)*. Mit Pool und Tennisplatz.

Auskunft: Mt. Washington Valley Chamber of Commerce | Main St., North Conway | Tel. 1-800-367-33 64 | Infostand am Bahnhof | www.mtwashingtonvalley.org

WOODSTOCK

[122 B4] Besonders wohlhabendes Neuenglandstädtchen (3000 Ew.) mit co-vered bridge, Green und repräsentativen Häusern im Süden Vermonts.

SEHENSWERTES
BILLINGS FARM AND MUSEUM
2 km nördlich von Woodstock können Sie einen originalgetreu restaurierten Bauernhof von 1890 besichti-

gen. *Rte. 12 | Mai–Okt. 10–17 Uhr | Eintritt 11 $ | www.billingsfarm.org*

DANA HOUSE
Hier werden wertvolle Möbel aus dem 18. und 19. Jh. präsentiert. *26 Elm St. | Ende Mai–Ende Okt. Mi–So 11–16 | Eintritt 4 $*

ESSEN & TRINKEN
THE PRINCE AND THE PAUPER
Die französisch gefärbte Vermonter Küche bietet auch gute hausgemachte Würste. *24 Elm St. | Tel. 802-457-18 18 | €€–€€€*

ÜBERNACHTEN
ARDMORE INN
Hübsches B & B, drei Gehminuten vom *Green* entfernt. *5 Zi. | 23 Pleasant St. | Tel. 802-457-38 87 | www.ardmoreinn.com | €€–€€€*

FREIZEIT & SPORT
RADWANDERN
Auf stillen Landstraßen durch die Wälder Vermonts radeln wird immer beliebter. Ein erfahrener Veranstalter ist *Bike Vermont (P. O. Box 207, Woodstock, VT 05091 | Tel. 1-800-257-22 26 | www.bikevt.com).*

> SÜSSES GEHEIMNIS
So kommt der Ahornsirup auf die Pfannkuchen

Wie man Ahornbäume ansticht, ihren Saft gewinnt und zu Sirup verkocht, haben die weißen Siedler in Neuengland den Indianern abgeschaut. Heute produziert Vermont jedes Jahr mit 1,75 Mio. Liter *maple syrup* das größte Kontingent des natürlichen Süßstoffs innerhalb der USA. 150 kleine und große Far-

men und Firmen, die *Maple Sugarhouses*, kochen hier den goldbraunen Sirup, den Amerikaner mit Genuss über Waffeln und Pfannkuchen rinnen lassen. In den meisten Betrieben sind Besichtigungen möglich. Info: *Vermont Maple Sugar Makers Association, www.vermontmaple.org*

UND NEW HAMPSHIRE

WOODSTOCK AREA CHAMBER OF COMMERCE

18 Central St. | Tel. 802-457-35 55 |
www.woodstockvt.com

■ ZIEL IN DER UMGEBUNG ■
KILLINGTON ★   [122 B4]

Das größte und modernste Skigebiet östlich der Rocky Mountains (700

Course | Tel. 802-422-33 33) und Tennis spielen, wandern, angeln oder Mountainbike fahren. Von der Spitze des 🌂 Mt. Killington (1260 m) haben Sie einen herrlichen Blick über das südliche Vermont und den Green Mountain National Forest.

Neue amerikanische Küche serviert das *Hemingway's (4988 Rte. 4 | Dinner Mi–So 18–22 Uhr | Tel. 802-*

Moment der Stille im Indian Summer: Morgennebel an einem See bei Killington

Ew.) ist wegen seiner schwierigen Buckelpisten bei Hardcore-Skifans als *Beast of the East* berühmt-berüchtigt. Die Killington Ski Area (25 km westlich von Woodstock) hat mehr als 200 Abfahrten. *Outer Limits* gilt als die schwierigste Piste. Der Skipass kostet 77 $ pro Tag *(Tel. 802-422-33 33)*. Im Sommer können Sie hier Golf *(z. B. Killington Golf*

422-38 86 | €–€€€). Im *Vermont Inn (18 Zi. | Rte. 4 | Tel. 802-775-07 08 | www.vermontinn.com | €€–€€€)*, einem idyllischen Bauernhaus von 1840 mit Pool, Sauna und Tennisplatz, lässt es sich gut schlafen.

Auskunft: Killington Chamber of Commerce, US-4, West Killington | Tel. 802-773-41 81 | www.killington chamber.com

> LAND DER LEUCHTTÜRME

Hoch oben im Norden regiert die Natur:
schroffe Felsküste, dichte Wälder, klare Flüsse

> **Maine liegt in der äußersten Nordost-
ecke der USA und ist größer als der Rest
Neuenglands. Der Staat an der Grenze zu
Kanada hat dabei nur 1,3 Mio. Ew., zudem
ist es zu 83 Prozent mit dichtem Kiefern-
wald bewachsen.**

Die abwechslungsreiche felsige
Küste, die sich – in der Luftlinie nur
360 km lang – über Tausende Kilometer an zerfurchten Buchten und
Flussmündungen entlangwindet, bietet die Höhepunkte des dünn besie-

delten Staats. Das Meer, das auch im
Sommer nicht wärmer als 18 Grad
wird, liefert auch eines seiner berühmten Produkte: ★ Hummer, in
Amerika *lobster* genannt. Viele der
reizvollen Fischerdörfer bieten diese
Delikatesse zu zivilen Preisen. Die
Küste und die mehr als 2000 vorgelagerten Inseln trotzen Wind und Wetter und präsentieren die schönsten
Leuchttürme des Landes. Höhepunkt
jeder Mainereise ist der Acadia Na-

Bild: Leuchtturm von Bass Harbor im Acadia National Park

MAINE

tional Park und seine buckligen Granitberge auf Mt. Desert Island. Im Inland herrscht auch kein Wassermangel. 2200 Seen und zahllose Flüsse gehören den Forellen, Anglern und Wassersportlern, die Kiefernwälder drum herum Elchen, Jägern und Holzfällern.

Maines Städte sind vergleichsweise klein. Portland, die größte, hat nur 64 000 Einwohner. Franzosen waren die ersten Europäer in diesem Teil Amerikas. Lange war das Territorium zwischen Frankreich und Großbritannien umstritten. Maine wurde schließlich 1677 von der Kolonie Massachusetts übernommen und trat 1820 als selbstständiger Staat der Union bei.

Im Juli und August ist Hochsaison. In den touristischen Zentren Bar Harbor und Boothbay Harbor, Camden und Ogunquit sollten Sie dann im Voraus buchen.

ACADIA NATIONAL PARK

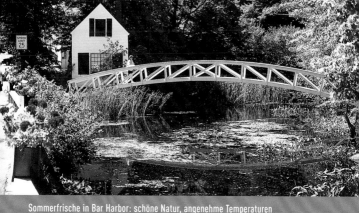

Sommerfrische in Bar Harbor: schöne Natur, angenehme Temperaturen

ACADIA NATIONAL PARK

[121 E6] ★ **Der einzige Nationalpark im Nordosten der USA existiert seit 1919 als 150 km² große Schutzzone für eine fotogene Felsen- und Klifflandschaft.** Sie erstreckt sich über Mt. Desert Island, die Schoodic-Halbinsel auf dem Festland und die kleine Isle au Haut. Bis zu 460 m hohe Bergklötze wie der Mt. Cadillac überragen verschlafene Buchten und sind Heimat für Wildblumen, Vögel und Säugetiere. Die 45 km lange *Park Loop Rd. (Beginn 7 km nördlich von Bar Harbor an der Rte. 3)* gewährt bequemen Zugang. Den besten Blick auf den alljährlich von 3 Mio. Menschen besuchten Nationalpark bietet der ❊ Gipfel des Mt. Cadillac.

Mit 2400 Ew. ist *Bar Harbor* der größte Ort auf Mt. Desert Island. Der französische Forscher Samuel de Champlain entdeckte die Insel mit ihren kahlen Bergkuppen im Jahr 1604. Im 19. Jh. wurde Bar Harbor wegen seiner herben Naturschönheiten und angenehmen Temperaturen zur Sommerfrische der Reichen. Ein Feuer zerstörte 1947 viele ihrer Sommerpaläste. Heute ist Bar Harbor der Dukatenesel von Maine und vor allem im Juli und August überlaufen. Wer Hummerreusen und Fischkutter sucht, findet sie in den kleinen Häfen *Bass Harbor, Northeast Harbor, Seal Harbor* und *Southwest Harbor*.

■ SEHENSWERTES ■

BAR HARBOR HISTORICAL SOCIETY
Fotos aus der früheren Glanzzeit von Bar Harbor. *33 Ledgelawn Ave. | Mo bis Sa 13–16 Uhr | Eintritt frei | www.barharborhistorical.org*

BAR HARBOR WHALE MUSEUM
Hier erfahren Sie alles Wissenswerte über die Riesensäuger. *52 West St., Bar Harbor | Juni tgl. 10–20, Juli und Aug. tgl. 9–21, Sept. und Okt. tgl. 10–20 Uhr | Eintritt frei | www.bar harborwhalemuseum.org*

■ ESSEN & TRINKEN ■

THE BURNING TREE
Das Restaurant mit authentischem Seafood wird von einer Fischerfamilie geführt. *71 Otter Creek, Bar Harbor | Tel. 207-288-93 31 | €€*

JORDAN POND HOUSE ☆
In diesem rustikalen Lokal werden mit Blick auf den Teich *Jordan Pond* Fischspezialitäten serviert. Im Sommer sollten Sie unbedingt reservieren! *Park Loop Rd., 20 Autominuten von Bar Harbor entfernt | Tel. 207-276-33 16 | €€*

■ ÜBERNACHTEN ■

ASTICOU INN
Im herrlich altmodischen Inn haben ☆ viele Zimmer Hafenblick. *48 Zi. | Rte. 3, Northeast Harbor | Tel. 207-276-33 44 | Fax 276-33 73 | www.asticou.com | €€€*

BASS HARBOR INN
Erschwingliches Inn, die meisten Zimmer mit schönem Balkon. *6 Zi. | 28 Shore Rd., Northeast Harbor | Tel. 207-244-51 57 | www.bassharborinn.com | €–€€*

THE LEDGELAWN INN
Die frühere Millionärsresidenz wurde zu einem herrlichen Fünf-Sterne-Inn mit individuell eingerichteten Räumen umgebaut. *36 Zi. | 66 Mt. Desert St., Bar Harbor | Tel. 207-288-45 96 | Fax 288-99 68 | www.ledgelawninn.com | €–€€€*

MIRA MONTE INN
Das Inn bietet 13 Zimmer und 3 Suiten mit Balkon und Kamin. Gartenanlage. *69 Mt. Desert St., Bar Harbor | Tel. 1-800-553-51 09 | www.miramonte.com | €–€€€*

■ FREIZEIT & SPORT ■

FAHRRÄDER
Verleih von Rädern: *Bar Harbor Bicycle Shop (141 Cottage St., Bar Harbor | Tel. 207-288-38 86), Southwest Cycle (370 Main St., Southwest Harbor | Tel. 207-244-58 56).*

KAJAK- UND KANUTOUREN
Insider Tipp
Empfehlenswert ist eine Bootstour in der schönen Frenchman Bay. *Acadia Outfitters (106 Cottage St., Bar Harbor | Tel. 207-288-81 18)* vermietet Kajaks auch mit Führer.

MARCO POLO HIGHLIGHTS

★ **Acadia National Park**
Grandiose, aus dem Meer aufsteigende Berglandschaft (Seite 78)

★ **Chebeague Island**
Wildromantische Insel am Ende der Welt (Seite 85)

★ **Freeport**
Outlet Shopping rund um die Uhr in 120 Läden (Seite 85)

★ **Hummer**
Frisch gefangen zu zivilen Preisen (Seite 76)

★ **Monhegan Island**
Ruhe und Erholung auf der autofreien Felseninsel (Seite 81)

★ **Camden**
Pittoreskes Hafenstädtchen zwischen Bergen und Atlantik (Seite 81)

WHALE-WATCHING-TOUR
Z. B. *Bar Harbor Whale Watch Co.,
1 West St.* | *Tel. 207/288-98 00* | *53 $*

ACADIA NATIONAL PARK VISITORS CENTER
Hulls Cove | *Tel. 207-288-33 38* |
www.nps.gov/acad/index.htm

Postschiff *(Isle au Haut Boat Services* | *Tel. 207-367-65 16* | *www.isle auhaut.com)* in ca. 40 Minuten zu erreichen. Sie eignet sich gut für einen Tagesausflug zu Fuß. Es gibt Wanderwege, einsame Küstenabschnitte und einen General Store. Vom 180 m hohen ⛰ Duck Harbor Mountain haben Sie einen schönen Blick.

Boothbay Harbor: früher ein Fischerstädtchen, heute ein maritimer Themenpark

BAR HARBOR CHAMBER OF COMMERCE
1201 Bar Harbor Rd | *Tel. 1-800-345-46 17* | *207-667-90 80* | *www. barharborinfo.com*

ISLE AU HAUT   [121 D6]
Die winzige, bei klarer Sicht vom Mt. Cadillac aus zu erkennende Insel ist von Stonington auf Deer Isle per

BOOTHBAY HARBOR

[123 E4] **Das Fischerstädtchen (1300 Ew.) wurde durch Boutiquen, Galerien und Restaurants zum maritimem Themenpark.** Aber noch immer riecht es nach Salz, Meer und Fisch. Den besten Blick auf den Hafen bietet ⛰ *Andrew's Harborside (8 Bridge St. | €€)*

■ ESSEN & TRINKEN ■
LOBSTERMEN'S CO-OP
Zünftiges Hummerlokal mit langen Tischen und Blick auf die Hummerfischer bei der Arbeit. *99 Atlantic Ave. | Tel. 207-633-49 00 | €–€€*

■ ÜBERNACHTEN ■
THE HOWARD HOUSE
Gehobener Motelstil. Ruhig. *14 Zi. | 347 Townsend Ave. | Tel. 207-633-39 33 | Fax 633-62 44 | www.howard houselodge.com | €–€€*

■ FREIZEIT & SPORT ■
BOOTSFAHRTEN
Cap'n Fish's Sightseeing Boat Cruises (Pier 1 | Tel. 207-633-32 44) fährt zu Seehunden und Walen und macht eine Leuchtturmtour.

■ AUSKUNFT ■
BOOTHBAY HARBOR REGION CHAMBER OF COMMERCE
Rte. 27 | Tel. 207-633-23 53 | im Sommer auch Infostand an der Kreuzung Rte. 1/Rte. 27 | www.boothbayharb or.com

■ ZIEL IN DER UMGEBUNG ■
MONHEGAN ISLAND ★   [123 F4]
Von Boothbay Harbor startet eine Passagierfähre von *Balmy Days Cruises (42 Commercial St. | 32 $ pro Person | Tel. 207-633-22 84)* auf die autofreie Monhegan Island. Das *Monhegan Museum (Juli und Aug. tgl. 11.30–15.30, Sept. 13.30–15.30 Uhr | www.monheganmuseum.org)* im Leuchtturm gibt Einblicke in die Geschichte der 4 km² großen Felseninsel. Vom ☆ *Island Inn (34 Zi. | Tel. 207-596-03 71 | www.islandinn monhegan.com | €€–€€€)* können

Sie einen phantastischen Blick über den Hafen genießen.

CAMDEN
[123 F3] ★ **Für viele der schönste Ort Maines. Hier treffen die bis zu 400 m hohen Ausläufer der Camden Hills auf den Atlantik.** Camden (4000 Ew.) liegt auf einem schmalen Landstreifen in einer runden Bucht und ist für Segler Ausgangspunkt für die Häfen und Inseln in der Penobscot Bay sowie Anlegestelle für viele Ausflugswindjammer. Landratten können den 400 m hohen ☆ Mt. Battle im Camden

>LOW BUDGET
> Mit dem Postschiff von Portland zu den Inseln in der Casco Bay: Ein dreistündiger Trip mit dem „Mailboat Run" der Casco Bay Lines kostet nur 13,50 $ – und Sie lernen bei der Überfahrt noch ganz nebenbei die Einheimischen kennen. *www.casco baylines.com*

> Die Online-Präsenz des Fremdenverkehrsamts von Portland *(www.visit portland.com)* hilft dabei, Geld zu sparen: Auf der „Coupon Page" finden Sie Ermäßigungen auf Übernachtungen, Restaurantbesuche und vieles mehr.

> Tolle Schlafplätze nach dem Einkaufsexzess in Freeport: Die 20 winzigen Cottages des *Maine Idyll Motor Court* sind urgemütliche Überbleibsel aus der goldenen Zeit der amerikanischen Motels und kosten nur zwischen 60 und 90 $. *1411 Rte. 1, Freeport | Tel. 207-865-42 01 | www.maineidyll.com*

Hills State Park besteigen – die Aussicht ist großartig!

ESSEN & TRINKEN
LOBSTER POND RESTAURANT
Typisches Maine-Hummer-Lokal mit Platz für 300 Gäste an langen Tischen, gleich am Strand. *10 km nördlich am Lincolnville Beach, US-1 | Tel. 207-789-55 50 | €*

ÜBERNACHTEN
LORD CAMDEN INN ✿
Modernes, aber trotzdem gemütliches Inn. Viele Zimmer haben Hafenblick. *32 Zi. | 24 Main St. | Tel. 207-236-43 25 | www.lordcamden inn.com | €–€€*

FREIZEIT & SPORT
SEGELTÖRNS
Der Schoner *Mary Day* segelt drei, vier oder sechs Tage vor der Küste. *P. O. Box 798 | Tel. 1-800-992-22 18 | www.schoonermaryday.com*

AUSKUNFT
CAMDEN CHAMBER OF COMMERCE
2 Public Landing | Tel. 207-236-44 04 | www.camdenme.org

ZIEL IN DER UMGEBUNG
ROCKLAND [123 F3]
Im *Farnsworth Art Museum and Wyeth Center* sind neben amerikanischen Kunstwerken aus dem 18. und 19. Jh. Gemälde der Künstlerfamilie Wyeth aus Maine ausgestellt. *16 Museum St | Ende Mai–Mitte Okt. tgl. 10–17, Jan.–März Mi–So 10–17, April–Ende Mai Di–So 10–17 Uhr | Eintritt 12 $ | www.farnsworthmu seum.org. 20 Autominuten entfernt*

Gediegen: Kapitänshaus in Kennebunkport

KENNEBUNK-PORT

[123 D4] **Traditionsreicher Badeort (1100 Ew.) und Feriendomizil von Ex-US-Präsident George Bush senior (Haus am Walker's Point).** *Dock Square* mit hochwertigen Galerien und Geschäften ist das Zentrum des im Sommer überlaufenen Städtchens. Kapitänshäuser aus dem 19. Jh. und die Residenzen wohlhabender Sommergäste schmücken die Main, die Pearl und die Green St.

▪ ESSEN & TRINKEN ▪

MABEL'S LOBSTER CLAW

Mabel's mit Jakobsmuscheln gefüllter Hummer gilt als Lieblingsgericht von George Bush senior. *124 Ocean Ave. | Tel. 207-967-25 62 | €–€€*

▪ ÜBERNACHTEN ▪

CAPTAIN JEFFERDS INN

Gemütliche Zimmer in einem Kapitänshaus von 1805. *15 Zi. | 5 Pearl St. | Tel. 207-967-23 11 | www.captainjefferds.com | €€–€€€*

▪ AUSKUNFT ▪

KENNEBUNK & KENNEBUNKPORT CHAMBER OF COMMERCE

17 Western Ave. | Tel. 207-967-08 57 | www.visitthekennebunks.com

OGUNQUIT

[123 D5] **Einst bei den Indianern bekannt als „schöner Ort am Wasser", war das Städtchen (1000 Ew.) mit seinem 5 km langen Sandstrand ab Ende des 19. Jhs. Künstlerkolonie und bis nach dem Zweiten Weltkrieg ein Seebad der Reichen.** Vom ⚜ *Bald Head Cliff* haben Sie einen schönen Blick auf die Küste.

▪ SEHENSWERTES ▪

OGUNQUIT MUSEUM OF AMERICAN ART ⚜

Das einzige Museum in Maine, das sich ausschließlich amerikanischer Kunst widmet. Skulpturengarten mit schönem Blick aufs Meer. *543 Shore Rd. | Juli–Okt. Mo–Sa 10.30–17, So 14–17 Uhr | Eintritt 7 $ | www.ogunquitmuseum.org*

▪ ESSEN & TRINKEN ▪

GYPSY SWEETHEARTS

International und ideenreich: Hummer Quesadilla, Gnocchi mit Spinat, Shrimps mit Poblano-Creme. Und gemütlich. *10 Shore Rd. | Tel. 207-646-70 21 | €€–€€€*

▪ ÜBERNACHTEN ▪

THE TERRACE BY THE SEA ⚜

Gehobener Motelstil. Blick aufs Meer. *36 Zi. | 23 Wharf Lane | Tel. 207-646-32 32 | www.terracebythesea.com | €€–€€€*

▪ FREIZEIT & SPORT ▪

HUMMERFISCHEN

Ein Hummerfischer demonstriert auf See, wie die Krustentiere gefangen

❯ KÖNIGE DER WÄLDER
In Maine können Sie Elche und Biber beobachten

Die beste Zeit zur Elchbeobachtung ist Anfang Juni. Dann flüchten die Könige der Wälder vor den lästigen Mücken ins Freie, auf Lichtungen, Campingplätze und in Straßengräben, wo sie sich über das von den Streudiensten hinterlassene Salz hermachen. Vor Füttern oder gar Streicheln sei ausdrücklich gewarnt: So friedlich ein Elch auch aussieht, er

wird aggressiv, sobald man ihm zu nahe kommt. Maines ausgedehnte Wälder und Seen sind auch das Revier des Bibers. Wo abgestorbene Baumbestände in Feuchtgebieten stehen, hatte meist eine Biberfamilie die Hand im Spiel. Die Burgen und Dämme der Nagetiere können Sie oft schon vom Auto aus sehen.

werden. *Finestkind Cruises, Perkins Cove | Tel. 207-646-52 27*

■ AUSKUNFT ■
OGUNQUIT CHAMBER OF COMMERCE – WELCOME CENTER
36 Main St. | Tel. 207-646-29 36 | www.ogunquit.org

■ ZIEL IN DER UMGEBUNG ■
YORK [123 D5]
Das historische Zentrum von York (9800 Ew.) ist wegen seiner intakten Straßenzüge aus dem 18. und 19. Jh. einen Abstecher wert *(10 km südl.)*. Besuchen Sie auch den alten Leuchtturm von Cape Neddick am Ende von York Beach! Ein Gefängnis von

Entspannt: Strandleben am York Beach mit Blick auf die Felsküste

1720 und sechs Wohnhäuser sind außerdem sehenswert *(Tickets in Jefferd's Tavern, 5 Lindsay Inn Rd. | Mitte Juni–Mitte Sept., Di–Sa 10 bis 16 Uhr | Eintritt 10 $).*

Auf Harris Island in York Harbor liegt das *Dockside Guest Quarters (25 Zi. | Harris Island Rd. | Tel. 207-363-28 68 | Fax 363-19 77 | www.docksidegq.com | €€ – €€€).*

Auskunft: Greater York Region, 1 Stonewall Lane | Tel. 207-363-44 22 | Fax 363-73 20 | www.gatewayto maine.org

PORTLAND

[123 E4] **Die Hafenstadt (64 000 Ew.) hat sich zum kulturellen und wirtschaftlichen Zentrum des Staats entwickelt, obwohl sie bereits dreimal fast komplett zerstört wurde: im 17. Jh. von den Indianern, im 18. Jh. von den Kanonen der Engländer und im 19. Jh. von einer Feuersbrunst.** Portland, das fast 200 km näher an Europa liegt als jeder andere amerikanische Hafen, ist heute Sitz von 200 Firmen und gilt wegen seiner Kaffeehauskultur und der liberalen Kunstszene als das San Francisco von Neuengland. Lagerhäuser und Büros am Hafen wurden mit Geschäften und Restaurants gekonnt wiederbelebt.

■ MUSEUM ■
PORTLAND MUSEUM OF ART
In einem modernen Bau des berühmten Architekten I. M. Pei wird amerikanische Kunst von Winslow Homer bis Andrew Wyeth sowie europäische Malerei vom Impressionismus bis zum Surrealismus gezeigt. *7 Congress Square | Di–Do, Sa, So 10–17,*

Fr 10–21 Uhr | Eintritt 10 $ | www. portlandmuseum.org

▮ ESSEN & TRINKEN ▮
FORE STREET
Entspannte Eleganz in einem alten Lagerhaus. Besonders empfehlenswert ist der gegrillte Hummer aus dem Ziegelofen. *288 Fore St. | Tel. 207-775-27 17 |* €€

▮ ÜBERNACHTEN ▮
PORTLAND REGENCY INN
Das Inn liegt inmitten des Hafenviertels Old Port Exchange. Mit Spa und Fitnessbereich. *95 Zi. | 20 Milk St. | Tel. 207-774-42 00 | www.theregen cy.com |* €€–€€€

▮ FREIZEIT & SPORT ▮
Am Portland und am State Pier legen Fähren und Ausflugsschiffe ab. *Casco Bay Lines (Tel. 207-774-78 71)* setzen zu den ☆ 140 Calendar Islands über. Eagle Island, Wohnsitz des Nordpolforschers Robert E. Peary, ist Ziel einer vierstündigen Tour der *Kristy K. (Long Wharf | Tel. 207-774-64 98).*

▮ AUSKUNFT ▮
CONVENTION AND VISITORS BUREAU OF GREATER PORTLAND
94 Commercial St., Suite 300. | Tel. 207-772 58 00 | www.visitportland. com

▮ ZIELE IN DER UMGEBUNG ▮
CHEBEAGUE ISLAND ★ ☆   [123 E4]
Die 8 km lange, wildromantische Insel liegt eine Stunde vom Festland entfernt. Sie erreichen Sie via *Casco Bay Lines (Commercial und Franklin St.).* Es gibt einen Sand- und Fels-

Freeport: Shopping rund um die Uhr

strand sowie einen *9-Loch-Golfplatz.* Im Pub des *Chebeague Island Inn (21 Zi. | Tel. 207-846-51 55 | www. chebeagueinn.com |* €€–€€€*)* treffen sich die Insulaner gern abends auf ein Bier.

FREEPORT ★   [123 E4]
Freeport ist die Outlet-Shopping-Hauptstadt der USA, seit das Versandhaus L.L. Bean ein Geschäft eröffnete, in dem man rund um die Uhr Freizeitkleidung sowie Jagd-, Wander- und Anglerzubehör kaufen kann *(Main St./Rte. 1 | Tel. 207-865-47 61).* Mittlerweile hat sich das 15 km nördlich von Portland gelegene 2000-Ew.-Städtchen mit seinen 170 großen Factory-Outlets und Designerläden zu einer einzigen Shopping Mall entwickelt.

Insider Tipp

> TUMMELPLATZ FÜR NEW YORKS SOCIETY

Auf der „Langen Insel" erwarten Sie leere Strände, eine sanfte Brandung und ein Hauch von Exklusivität

> **Auch wenn sie politisch zum Staat New York gehört und geografisch nicht ganz zu Neuengland passt – die „Lange Insel", die wie ein schmaler Finger von Manhattan aus nach Nordosten zeigt, hat viel mit ihren Nachbarn in Neuengland gemein.**
Das beginnt mit der Vergangenheit in Fischerei und Walfang und reicht über den Sinn für Traditionspflege und Dorfgemütlichkeit bis hin zur Architektur und einem beträchtlichen Aufgebot an Kultur. Long Islands

Hauptattraktion allerdings sind lange und erstaunlich leere Strände mit sachter Atlantikbrandung.

Das Image von reichen Bewohnern mit prächtigen Holzhäusern, gepflegten Gärten und exklusiven Clubs für Polo, Springreiten und Golf stellt sich ganz besonders am Ende der Südseite ein, an der South Fork zwischen Westhampton und Montauk. Seit 1870, als die Long Island Railroad die Insel als Naherho-

Bild: Strand bei Southampton

LONG ISLAND

lungsgebiet der reichen New Yorker erschloss, hält sich ihre Faszination.

Die Strände sind öffentlich, Autofahrer müssen jedoch hohe Parkgebühren zahlen. Deshalb hat sich das Fahrrad auf Long Island als Verkehrsmittel etabliert. Halten Sie sich stets so strandnah wie möglich! Der Verkehr im Inselinneren ist haarsträubend.

Wenn New Yorker heute von Long Island sprechen, meinen sie die Hamptons. Und eine ganz bestimmte gesellschaftliche Schicht, die Geld und Geschmack, Glamour und Understatement kennzeichnet. Cashhamptons werden diese Orte auch genannt, in denen prominente Künstler wie der Musiker Paul Simon, der Regisseur Steven Spielberg oder der Schriftsteller Tom Wolfe leben.

Von Ende Mai bis Anfang September liegen die Übernachtungspreise 40 Prozent über normal. Dann verlangen die meisten Inns einen Mindestaufenthalt von zwei, wenn nicht drei Tagen. Die beste Alternative ist der Besuch nach dem Ansturm. Der Herbst auf Long Island ist geprägt von Kartoffelfeuern, Nebelschwaden und kühlen Nächten.

Auskunft: Long Island Convention & Visitors Bureau, 330 Motor Park-

Beliebter Treffpunkt alteingesessener Long Islander ist der *Sagpond General Store.* Besonders am Morgen, beim Abholen der täglichen Pflichtlektüre, der „New York Times", sieht man sie hier mit einem Pappbecher Kaffee in der Hand. Nicht versäumen sollten Sie den Besuch bei ★ *Wölffer Estate Vineyard (139 Sagg Rd. |*

East Hampton: perfekt gepflegtes Refugium reicher New Yorker Familien

way, Suite 203, Hauppauge | Tel. 631-951-39 00 | www.discoverlongisland.com

BRIDGE-HAMPTON

[124 C5] **Auf der Hauptstraße des 1400-Ew.-Ortes können Sie von einem Antiquitätengeschäft zum nächsten spazieren.**

Tel. 631-537-51 06 | www.wolffer.com). Keine Autostunde vom Getöse des Big Apple entfernt, produziert das vom inzwischen gestorbenen Hamburger Christian Wölffer gegründete Weingut in der bukolischen Idylle Long Islands einige der besten Weine der USA. Weinproben sind kostenlos *(tgl. 11–17 Uhr).*

Neue französische Küche, vor allem Seafood direkt aus dem Meer, serviert *Pierre's Restaurant (2468 Main St. | Tel. 631-537-51 10 | €€–€€€).* Abends lohnt ein Besuch im *Wild Rose Cafe (Sag Harbor Turnpike | Tel. 631-537-50 50),* einer populären Blueskneipe mit lebhafter Bar.

EAST HAMPTON

[124 C5] **Um den perfekt gepflegten Green von East Hampton (20 500 Ew.) liegen Herrenhäuser reicher New Yorker Familien.** Die Main St. und die Newton Lane werden gesäumt von Antiquitätengeschäften, Edelboutiquen und Restaurants. An der Further Lane leben viele Prominente, darunter der Sänger Billy Joel. Das benachbarte Amagansett steht ebenfalls hoch im Kurs.

■ ESSEN & TRINKEN ■
DELLA FAMINA
Lieblingstreff der Promis. Heilbutt und Gänseleber nach modernen italienischen Rezepten. *99 North Main St. | Tel. 631-329-66 66 | €€€*

EAST HAMPTON POINT ☆
Lunch oder Drinks auf einer Terrasse am Three Mile Harbor. Mit Austern-

bar. *143 Main St. | Tel. 631-329-28 00 | €€–€€€*

NICK & TONY'S
Eleganter Italiener mit berühmten Gästen und guter Küche, z. B. Fettuccini mit Kaninchen, Limonen und Rosmarin. *136 N. Main St. | Tel. 631-324-35 50 | €€–€€€*

PECONIC COAST
Lebhafte Kneipe mit südfranzösischem Flair. *103 Montauk Highway | Tel. 631-324-67 72 | €€*

■ EINKAUFEN ■
AMAGANSETT FARMER'S MARKET
Nirgendwo schmecken Kaffee und Croissants morgens besser als an den gemütlichen Holztischen beim Bauernmarkt in Amagansett. *357 Main St.*

■ ÜBERNACHTEN ■
THE HEDGES INN
Viktorianisches Haus am Green. *11 Zi. | 74 James Lane | Tel. 631-324-71 01 | www.thehedgesinn.com | €€€*

THE MAIDSTONE
Das älteste Inn der Gegend aus dem 18. Jh. wurde 2009 frisch renoviert.

MARCO POLO HIGHLIGHTS

★ **Wölffer Estate Vineyard**
Auf dem idyllisch gelegenen Gut werden hervorragende Weine produziert (Seite 88)

★ **Gosman's**
Am Dock von Montauk Harbor gibt's frischen Hummer oder Thunfisch (Seite 90)

★ **Main Beach von East Hampton**
Von hier aus können Sie bis nach Montauk laufen (Seite 90)

★ **Schön shoppen**
Die beste Einkaufsmeile der Insel liegt in Southampton (Seite 93)

Mit attraktivem Restaurant und Garten. *19 Zi. | 207 Main St.| Tel. 631-324-50 06 | http://themaidstone.net |* €€€

■ FREIZEIT & SPORT ■
FAHRRADVERLEIH
Bermuda Bikes | 36 Gingerbread Lane | Tel. 631-324-66 88 | Village Hardware | 32 Newton Lane | Tel. 631-324-24 56

STRAND
Der ★ *Main Beach* von East Hampton zählt zu den besonders schönen Stränden der Ostküste.

■ AM ABEND ■
STEPHEN'S TALK HOUSE
Livemusik mit Künstlern aus New York. *161 Main St., Amagansett | Tel. 631-267-31 17*

■ AUSKUNFT ■
EAST HAMPTON CHAMBER OF COMMERCE
42 Gingerbread Lane | Tel. 631-324-03 62 | www.easthamptonchamber. com

>LOW BUDGET

> Die *Tanger Outlet Mall* in Riverhead bietet 165 Trendmarken und Designer-Outlets unter einem Dach. *1770 W. Main St. | Mo–Sa 9–21, So 10–20 Uhr*

> Die Insel vor der Haustür New Yorks ist ein teures Pflaster. Das *Long Island Convention & Visitors Bureau* hilft mit seinen „Getaway Packages" Kosten sparen. *www.getawaynewyork.com/LongIsland/*

MONTAUK
[125 D5] **Der Ort (4000 Ew.) ist eine Mischung aus Moor- und Dünenlandschaft, in die ein Investor 1926 das „Miami Beach des Nordens" bauen wollte.** Die Weltwirtschaftskrise stoppte das Projekt. Erst in den 1970er-Jahren wurde wieder gebaut, doch Montauk hat das Flair eines Fischerdorfs behalten.

■ ESSEN & TRINKEN ■
Etliche Kneipen, die Meeresfrüchte anbieten, säumen den Montauk Highway (Rte. 27). Etwa *The Lobster Roll (Nr. 1980),* benannt nach dem Brötchen mit frischem Hummersalat *(in der Nähe des Napeague Beach).*

GOSMAN'S ★
Gleich am Pier, wo die Fischerboote landen. Hummer zu Tagespreisen. *Gosman's Dock, 500 W. Lake Drive | Tel. 631-668-53 30 |* €€

■ ÜBERNACHTEN ■
LENHART COTTAGES ⚘
12 Häuschen, Blick auf Dünen oder Meer. *421 Old Montauk Highway | Tel. und Fax 631-668-23 56 |* €€–€€€

PANORAMIC VIEW ⚘
Direkt am Strand gelegenes Resort. *118 Zi. | 272 Old Montauk Highway | Tel. 631-668-30 00 | www.panoramicview.com |* €€

■ FREIZEIT & SPORT ■
FAHRRÄDER
Montauk Bike Shop, Main St. | Tel. 631-668-89 75 | www.montaukbikeshop.com

GOLF

Einer der zehn herausragenden öffentlichen Golfplätze in den USA. 18-Löcher-Anlage: *Montauk Downs, S Fairview Ave.* | *Tel. 631-668-11 00* | *Greenfee: 72/82 $*

WHALE WATCHING

Ocean Research Foundation. Abfahrt tgl.: Viking Dock | *Tel. 631-369-98 40*

ESSEN & TRINKEN

Regional angebaute Produkte werden an *farm stands* verkauft *(u. a. in Mattituck, East Marion und Orient)*. Frisch gefangenen Fisch bekommen Sie direkt am Wasser *(The Seafood Barge, 62980 Main Rd., Southold* | *Tel. 631-765-30 10, oder Orient by the Sea, Main Rd., Orient Point* | *Tel. 631-323-24 24).*

Whale Watching statt Walfang: Das freut die Meeressäuger – hier ein Buckelwal

AUSKUNFT

MONTAUK CHAMBER OF COMMERCE

742 Montauk Hwy. | *Tel. 631-668-24 28* | *www.montaukchamber.com*

NORTH FORK

[124 C5] Auf dem nördlichen Arm der Landzunge Long Island haben sich noch viele kleine Farmen und schöne Weingüter angesiedelt.

ÜBERNACHTEN

MOTEL ON THE BAY

18 einfache Zimmer mit Privatstrand. *Front St., Jamesport* | *Tel. 631-722-34 58* | *www.northforkmotels.com/ mob.html* | *€–€€*

TOWNSEND MANOR INN

Das ehemalige Haus eines Walfangkapitäns liegt am Hafen von Jamesport. Pool. *25 Zi.* | *714 Main St.* | *Tel.*

631-477-20 00 | www.townsendman
orinn.com | €€–€€€

AUSKUNFT
NORTH FORK CHAMBER OF COMMERCE
Main Rd., Greenport | Tel. 631-477-
13 83 | www.northforkchamberof
commerce.org

ZIEL IN DER UMGEBUNG
SHELTER ISLAND [124 C5]
Von Greenport gibt es Fährverbin-
dungen auf die Insel in der Gardi-
ner's Bay, die früher für die verschie-
densten Menschen Zuflucht bot: für
Piraten, verfolgte Quäker, illegale
Schnapsbrenner und betuchte Großstädter. Weite Teile von Shelter Island sind heute dem Naturschutzge-
biet Mashomack vorbehalten, einem
Nistplatz für Seeadler. Das *Chequit
Inn* ist ein altes Sommerseehotel mit
Veranda. Gutes Restaurant. *35 Zi. |
Shelter Island Heights | Tel. 631-749-
00 18 | www.shelterislandinns.com/
chequit | €–€€€*

Insider Tipp

SAG HARBOR
[124 C5] **Der ehemalige Walfanghafen an
der Nordseite von Long Island (2300 Ew.)
rühmt sich eines Kontrastprogramms zum
sommerlichen Promiauflauf in Westhampton, Southampton und East Hampton.** Der Slogan lautet: die Hamptons
ohne Hamptonrummel: Diese rela-
tive Ruhe lockt von jeher Künstler
und Schriftsteller an.

Insider Tipp

MUSEUM
WHALING MUSEUM
Das Museum erzählt die Geschichte
der Walfänger. *200 Main St. | Mai bis
Okt. Mo–Sa 10–17, So 13–17 Uhr |*

Eintritt 5 $ | www.sagharborwhaling
museum.org

ESSEN & TRINKEN
THE BEACON ⬖
Französische Küche, schöner Hafen-
blick. *8 W Water St. | Tel. 631-725-
70 88 | €–€€*

EINKAUFEN
An der traditionsbewussten *Main St.*
liegen Boutiquen und viele Restaurants.

ÜBERNACHTEN
AMERICAN HOTEL
Viktorianisches Dekor in elegan-
tem, denkmalgeschütztem Ziegelbau.
*8 Zi. | Main St. | Tel. 631-725-35 35 |
www.theamericanhotel.com | €€€*

AUSKUNFT
SAG HARBOR CHAMBER OF COMMERCE
*At The Windmill | Tel. 631-725-00 11
| www.sagharborchamber.com*

SOUTHAMPTON
[124 C5] **Mit etwas über 4000 Ew. ist das
am Südende von Long Island gelegene
Städtchen der größte Ort der Insel.**

MUSEEN
PARRISH ART MUSEUM
Amerikanische Künstler vom 19. Jh.
bis zur Gegenwart. *25 Job's Lane |
Mo–Sa 11–17, So 13–17 Uhr | Ein-
tritt 7 $ | www.parrishart.org*

SOUTHAMPTON HISTORICAL MUSEUM
Durch den geschichtsträchtigen Kern
führt vom Museum aus der *Historic
Walking Trail. Meeting House Lane |
tgl. 11–17 Uhr | Eintritt 5 $*

■ ESSEN & TRINKEN ■

BASILICO

Edeltrattoria mit toskanischer Note. *10 Windmill Lane | Tel. 631-283-79 87 | €€*

LOBSTER INN

Rustikale Atmosphäre. Spezialität: Hummer. *162 Inlet Rd. | Tel. 631-283-15 25 | €€*

75 MAIN

Auf der Karte stehen asiatisch inspirierte US-Gerichte wie mit Ente gefüllte Frühlingsrollen oder Lammrücken mit Thaigewürzen. *75 Main St. | Tel. 631-283-75 75 | €*

■ EINKAUFEN ■

Hier können Sie ★ schön shoppen: Die hübschesten kleinen Geschäfte der ganzen Insel finden Sie im Dreieck aus *Main St., Job's Lane* und *Hampton Rd.*

■ ÜBERNACHTEN ■

B & B RESERVATION SERVICE OF SOUTHAMPTON

Neben den 8 Zimmern im eigenen Haus, dem *Mainstay Inn (www.the mainstay.com | €€)*, werden auch Privatzimmer zwischen 100 $ und 400 $ vermittelt. *579 Hill St. | Tel. 631-283-43 75*

■ STRÄNDE ■

Beliebte Treffpunkte sind *Cooper's Beach* und *Town Beach.*

■ AUSKUNFT ■

SOUTHAMPTON CHAMBER OF COMMERCE

76 Main St. | Tel. 631-283-04 02 | Fax 283-87 07 | www.southampton-chamber.com

Southampton: Die ersten protestantischen Siedler nannten den Ort nach ihrem Heimathafen

> NATUR UND KULTUR FÜR GENIESSER

Auf Seebädertour, in die White Mountains und auf Schlemmerreise zu Hummerrestaurants am Atlantik

Die Touren sind auf dem hinteren Umschlag und im Reiseatlas grün markiert

1 WIND, SAND UND MEER: WO BOSTONIANS FERIEN MACHEN

Von Boston aus auf den Spuren der Kennedys nach Cape Cod und Nantucket. Länge: 350 km. Dauer: je nach Lust und Laune 3–5 Tage.

Wer heute auf der historischen Rte. 6 A die Sagamore Bridge über den Cape Cod Canal befährt und Sandwich *(S. 52)* erreicht, die älteste Siedlung am Kap, spürt immer noch die ganz besondere Atmosphäre von Cape Cod *(S. 51)*. Das kleine Dorf wartet mit den typischen weißen Holzhäuschen auf, mit Ententeich und Mühle.

Durch die Marschlandschaft geht es nach Barnstable *(S. 52)*, wo die Straße von Galerien und Bed & Breakfasts gesäumt wird. Der Trip Richtung Osten durch das Mid Cape führt durch Yarmouth und Brewster *(S. 52)*, fotogene Dörfer mit schönen alten Kapitänshäusern.

Bild: Cranberry-Ernte auf Cape Cod

AUSFLÜGE
& TOUREN

In Orleans geht die Rte. 6A in die durch eine schöne Küsten- und Dünenlandschaft nordwärts strebende Rte. 6 über: Der makellos weiße Sandstrand von Cape Cod National Seashore (S. 54) ist fast 50 km lang. Auf dem Weg zur Spitze des Kaps kommen Sie durch den ruhigen Ort Wellfleet (S. 52). Er ist berühmt für seine Austern, seine Galerien und den größten Flohmarkt der Halbinsel. Der Kontrast zu Provincetown (S. 52)

am Ende der Rte. 6 könnte nicht größer sein. „P-Town" und seine überwiegend homosexuellen Sommergäste sorgen rund um die Commercial St. für eine bunte Atmosphäre.

Während es für den Weg zurück auf dem schmalen Lower Cape nur eine Landstraße gibt (Rte. 6), finden Sie auf dem Mid Cape Alternativen. Zum Beispiel die Rte. 28, die in Orleans Richtung Chatham (S. 52) abzweigt. Von dort aus gelangen Sie über die

Main St. nach Hyannis (S. 52). Hier sollten Sie Ihr Auto stehen lassen und mit der Fähre zu einem Ausflug auf die ehemalige Walfängerinsel Nantucket (S. 58) übersetzen, die Sie bequem mit dem Fahrrad erkunden können. Zurück auf Cape Cod, geht es nach Falmouth (S. 52). Über die Sagamore Bridge kommen Sie wieder zurück nach Boston.

2 HOCHGEFÜHL IM NORDEN: BERGIG UND BUNT

Von Concord aus geht es in die Wälder von Vermont und New Hampshire, auf den Mt. Washington in den White Mountains und durch schläfrige Dörfer. Länge: 550 km. Dauer: etwa 7 Tage.

Eine Reise in die Berge von Neuengland sollte von Boston über die I 93 führen und in Concord (S. 69, Exit 13) beginnen. Wer über die I 393 ostwärts die Stadt verlässt, nach wenigen Kilometern auf die Rte. 106 biegt und nach Norden fährt, kommt in ländliche Gefilde. Dies ist der Weg zum Canterbury Shaker Village (S. 69).

Richtung Norden folgen Sie der Rte. 106, dann der Rte. 3, um zum Lake Winnipesaukee zu gelangen. Der See mit über 250 km Uferlinie lässt sich am besten mit dem Ausflugsboot von Weirs Beach am Nordwestufer aus erkunden. Weiter nördlich (Abzweig in Meredith) geht es auf der Rte. 25 und dann auf der Rte. 16 (Abzweig in West Ossipee) zum nächsten Ziel – der Shoppingmeile von North Conway. Der Ort ist Ausgangspunkt für eine Fahrt durch die Pinkham Notch zum Beginn der Mt. Washington Auto Road (S. 73). Auf ihr gelangt man bequem auf den ☀ Mt. Washington (S. 73),

von dessen Gipfel Sie bei gutem Wetter eine Sicht von 100 km haben.

Zurück geht es über dieselben Serpentinen hinab ins Tal und auf der Rte. 16 nach Süden bis zum Abzweig der Rte. 302 in Glen. Dies ist die Strecke nach Bretton Woods, wo das imposante Mt. Washington Hotel (S. 73) steht. Weiter westlich trifft die Straße wieder auf die Rte. 3, auf der Sie Richtung Süden den Franconia Notch State Park durchfahren. Sein Höhepunkt ist The Flume, ein tiefer Einschnitt in die Felslandschaft. Auf der Rte. 112 (Abzweig in North Woodstock) gelangen Sie westwärts durch den letzten Abschnitt der White Mountains (S. 73).

An der Kreuzung mit der Rte. 302 geht es links hinab ins Tal des Connecticut River (S. 33), der die Grenze zu Vermont bildet. Dies ist die Straße, die nach Montpelier (S. 71) führt. Die Stadt ist ideal, um die malerische Rte. 100 anzusteuern (sie beginnt 40 km westlich und führt nach Süden). Die Landstraße führt die Osthänge der Green Mountains entlang, durch Dörfer wie Warren und West Bridgewater. Auf der Rte. 4 empfiehlt sich ein Abstecher nach Woodstock (S. 74).

Von schlichterer Anmut ist *New-fane* im Süden Vermonts, das Sie auf der Rte. 30 erreichen, wenn Sie in East Jamaica die Rte. 100 Richtung Südosten verlassen. Das satte Grün der Wiesen und Wälder und die makellosen Holzhäuschen sind Neuengland pur. Die Strecke führt weiter nach Brattleboro (S. 66). Hier können Sie mit dem Kanu oder dem Dampfer auf den Connecticut River hinausfahren. Die 160 km zurück nach Boston fahren Sie auf der I 91 und ab Exit 27 ostwärts über die Rte. 2.

AUSFLÜGE & TOUREN

3 DEM HUMMER NACH: DIE RAUE KÜSTE VON MAINE

Von York Harbor zum Acadia National Park. Wenn Sie die Strecke (1000 km auf der Rte. 1) und die Mahlzeiten genießen wollen, brauchen Sie mindestens 5 Tage.

Von York Harbor (S. 84) erreichen Sie zunächst die Künstlerkolonie Ogunquit (S. 83). Dort gibt es Hummergenüsse bei Barnacle Billy's Lobster Shack *(Perkins Cove)* und Ogunquit Lobster Pound *(Rte. 1)*. Der nächste Stopp ist Kennebunkport (S. 82). An der Ocean Avenue finden Sie Port Lobster Co. und Mabel's. Der Trip gen Norden führt durch die Shoppingmetropole Freeport (S. 85).

Das nächste Ziel steuern Sie bei Wiscasset auf der Rte. 27 ans Meer an: Boothbay Harbor (S. 80), ein Fischerdorf mit guten Hummerrestaurants. Idealer Aussichtspunkt, um die zerklüftete Küste zu genießen (in Newcastle auf die Rte. 129 und 130 abbiegen), ist Pemaquid Point mit seinem berühmten Leuchtturm. Ab der Penobscot Bay beginnt für Puristen das wahre Maine. Wer vorher umkehrt, versäumt Segelzentren wie Camden (S. 81), Rockport (S. 56) und Rockland (S. 82). Zwei Tipps in Sachen Hummer: das Sail Loft im Hafen von Rockport (auch Austern) und Landings Restaurant im Bootshafen von Rockland.

Weiter im Norden biegen Sie in Ellsworth mit der Rte. 3 ab, um den Acadia National Park mit Mt. Desert Island, Bar Harbor und Bass Harbor *(alle S. 78)* zu erreichen. Dort finden Sie opulente Sommerresidenzen und Hummer bei Beal's Lobster Pier (im Hafen) in Southwest Harbor (S. 78) und im Burning Tree *(Rte. 3)* in Otter Creek. Auf der I 95 geht es am schnellsten wieder zurück.

„Lächelndes Wasser" nannten die Indianer den Lake Winnipesaukee

EIN TAG IN BOSTON

Action pur und einmalige Erlebnisse.
Gehen Sie auf Tour mit unserem Szene-Scout

GOOD MORNING, SUNSHINE

8:00

Aufwachen! *The Paramount* in Beacon Hill ist eine Institution: Hier frühstücken Jay Leno oder John Travolta, wenn sie in der Stadt sind, und die Apfel-Zimt-Pancakes sind ein Traum. Dazu Kaffee bis zum Abwinken, und der ereignisreiche Tag kann beginnen. **WO?** *44 Charles St.* | *Tel. 617-720-11 52* | *www.paramountboston.com*

9:45

EINFACH TIERISCH

Ein Blick hinter die Kulissen des *New England Aquarium* gefällig? Kein Problem. Beim *Trainer for a Morning*-Programm erlebt man Seehunde oder die grüne Meeresschildkröte Myrtle hautnah und assistiert dem Trainer bei seinen Aufgaben. Dabei erfährt man viel Wissenswertes über die faszinierenden Tiere. **WO?** *New England Aquarium, 1 Central Wharf* | *Kosten: 150 $* | *Anmeldung unter Tel. 617-973-52 06* | *www.neaq.org*

SANDWICH-HIGHLIGHTS

12:30

The *Parish Cafe* ist bekannt für sein ausgefallenes Konzept: Die besten Köche der Stadt haben Sandwiches für die Speisekarte kreiert, die nach dem Koch und dem jeweiligen Restaurant benannt sind, z. B. *The d Bar*: Das Kalbschnitzel-Sandwich mit krossem Räucherschinken, Gruyère-Käse, Tomaten-Kapern-Relish und Estragon-Senf-Aioli schmeckt vorzüglich. **WO?** *361 Boylston St.* | *Tel. 617-247-47 77* | *www.parishcafe.com*

14:00

DUCK TOUR

Schon mal in einem Amphibienfahrzeug gesessen? Dann wird es Zeit. Als Bus navigiert das Gefährt durch den Großstadtdschungel – vorbei an Quincy Market, Prudential Tower & Co. – dann wird es kurzerhand zum Schiff – Charles River ahoi! **WO?** *Boston Duck Tours* | *Treffpunkt: Museum of Science, 1 Science Park* | *Tel. 617-267-38 25* | *Kosten: 29,95 $* | *März–Nov.* | *www.bostonducktours.com*

24 h

KLETTERSPASS

16:00

Es geht aufwärts: Knoten lernen, sichern, klettern, abseilen – ein Kletterkurs steht auf dem Programm. Keine Sorge, der Profi zeigt, wie's geht. **WO?** *Boston Rock Gym, 78G Olympia Ave., Woburn, MA | Tel. 781-935-73 25 | Kosten: 58 $/3 Std. | www.bostonrockgym.com*

19:30

FUN BITES

Ein bisschen Spaß muss sein – also ab ins historische North End: Bei der legendären *Improv Asylum's Main Stage Show* trifft Sketch Comedy auf improvisierte Szenen. Klar, dass die Zuschauer dabei mit einbezogen werden. **WO?** *Improv Asylum, 216 Hanover St. | Tel. 617-263-68 87 | Kosten: 20 $ | Mi–Sa | www.improvasylum.com*

DINNER IM BAUMHAUS

22:00

Der Szene-Hotspot *BanQ* im South End punktet mit französisch-asiatischer Fusionküche und spektakulärer Holzverkleidung: Die 168 Latten aus hellem Birkenholz erinnern an ein stylishes 3-D-Puzzle. **WO?** *BanQ Restaurant, 1375 Washington St. | Tel. 617-451-00 77 | www.banqrestaurant.com*

23:00

FUNKY NIGHTLIFE

Mit Live-Jazz-Performances und hervorragenden Cocktails ist *The Beehive* zum Treffpunkt für Bostons Hipster geworden. Das Innere des ehemaligen Heizungskellers erscheint fast wie das eines Künstlerstudios. **WO?** *541 Tremont St. | Tel. 617-423-00 69 | www.beehiveboston.com*

> HIKING, JOGGING UND BIKING

Amerikas grüner und wasserreicher Nordosten ist ein Paradies für Wanderer und Wassersportler

> Die erste Bekanntschaft mit dem amerikanischen Breitensport werden Sie spätestens im Hotel machen: Während Sie einchecken, zeigen mindestens sechs Bildschirme über der Theke Football und/oder Basketball.

Die Neuengländer gucken allerdings nicht nur zu. Sie treiben auch selber Sport. Hiking (Spazierengehen und Wandern), Jogging, Mountainbiking und Radwandern sind die beliebtesten Aktivitäten zu Lande. Kajakfah-

ren, Kanuwandern und Segeln gehören zu den Topsportarten auf dem Wasser. Auch als Wintersportziel wird Neuengland allmählich immer beliebter: Einige der Wintersportzentren mit olympiareifen Abfahrten und Loipensystemen entsprechen durchaus europäischen Erwartungen.

HIKING

Mit den White und den Green Mountains in New Hampshire und Ver-

Bild: Hiking auf dem Mt. Cadillac im Acadia National Park

SPORT & AKTIVITÄTEN

mont bietet Neuengland gleich zwei grandiose Hikerparadiese. Etliche Trails unterschiedlichster Längen und Schwierigkeitsgrade ziehen hier wie dort durch die Wildnis. Die Palette reicht vom nur wenige Hundert Meter langen Spaziergang zum Biberdamm bis zu mehrtägigen Hikes durch menschenleeres, raues Hinterland, wo in einfachen Unterständen, primitiven Zeltplätzen oder bewirtschafteten Hütten genächtigt wird.

Legendäre Wanderwege sind der rund 3500 km lange, von Georgia heraufziehende *Appalachian Trail,* der sich durch die White Mountains bis nach Maine arbeitet *(Appalachian Mountain Club – AMC Main Office, 5 Joy St., Boston, MA 02108 | Tel. 617-523-06 36 | Fax 523-07 22 | www.outdoors.org),* und der sich 400 km längs durch Vermont ziehende *Long Trail (Green Mountain Club, 4711 Waterbury – Stowe Rd.,*

Waterbury Center, VT 05677 | Tel. 802-244-70 37 | Fax 244-58 67 | *www.greenmountainclub.org*). Ein Hikerdorado ist auch der *Acadia National Park* in Maine mit einem Netz von 200 km Wanderwegen *(Hulls Cove Visitor Center, am Parkeingang 5 km nordwestlich von Bar Harbor | Mai–Juni und Okt. tgl. 8–16.30, Juli und Aug. 8–18, Sept. 8–17 Uhr | www.nps.gov/acad/index.htm)*. Die schönsten, längsten Strandspaziergänge können Sie von Provincetown auf Cape Cod aus unternehmen.

JOGGING

In Boston sind der *Common* und der angrenzende *Public Garden* das bevorzugte Revier der Jogger. Im April treffen sich alljährlich Läufer aus aller Welt zum berühmten *Boston Marathon (www.bostonmarathon. org)*. Auf dem Land bieten sich die stillen *byways* (Seitenstraßen) an: Das Personal der Country Inns kennt in der Regel die besten Laufstrecken. Besonders schöne Joggingtrails liegen rund um Stowe (Vermont).

Insider Tipp

KAJAK, KANU, RAFTING

Wo Wasser ist, wird gepaddelt, gerudert, gesegelt. Am besten geht das am Meer. In allen Badeorten gibt es Kajakverleihe. Besonders schöne Kajakreviere gibt es in Bar Harbor, Provincetown, Nantucket, Martha's Vineyard und Newport.

Die Flüsse im Norden Neuenglands sind interessante Kanureviere. Vor allem der Norden Vermonts bietet mit den Flüssen Lamoille, Battenkill und Winooski gutes ein- und mehrtägiges Kanutripping. Wilder geht es im kaum besiedelten Norden

von Maine zu. Von Greenville am Südufer des Lake Moosehead brechen Kanuwanderer und Wildwasserfahrer (Rafter) zu mehrtägigen Trips auf den Flüssen Allagash und Kennebec auf.

Ein profilierter Anbieter für Kanuwanderer in Vermont ist *Battenkill Canoe (6328 Historic Rte. 7a, Arlington, VT 05250 | Tel. 802-362-28 00 | Fax 362-01 59 | www.batten kill.com)*. Rafting in Maine: *Northern Outdoors, PO Box 100, 1771 Rte. 201 – The Forks, ME 04985 | Tel. 208-663-44 66.*

MOUNTAINBIKING

Skireviere wie Killington, Stowe und Jay Peak (alle Vermont) sind im Sommer selbst für die verwöhnten Single-Track-Spezialisten aus Kalifornien, die Künstler der schmalen Spur, ein Leckerbissen. Mehr über den Sport der zerschrammten Beine erfahren Sie bei der *NEMBA (New England Mountainbike Association, P.O. Box 2221, Acton, MA 01720-6221 | Tel. 1-800-576-36 22 | www. nemba.org)*. Die Mountainbikerschule in Mt. Snow in Südvermont bietet mehrtägige Kurse auf einem anspruchsvollen Trailnetz von 300 km Länge *(Mt. Snow Mountainbike School, c/o Mt. Snow Ski Resort, Rte. 100, West Dover | Tel. 802-464-40 40)*.

RADWANDERN

Auf Neuenglands wenig befahrenen Landstraßen werden Sie immer wieder Pulks von Radwanderern begegnen. Vor allem Vermont, der Westen von Massachusetts und Connecticuts Nordwestecke bieten sich als Radlerparadiese an: hügelig, aber nicht zu

Ein Abenteuer: Kanutrip im wilden, einsamen Norden von Maine

anstrengend, malerisch und fotogen. In Cape Cod weht Dünensand über die Trails: Dort begleitet der Atlantik die Radwege bis nach Provincetown.

Touren entlang der Küste von Maine, auf Cape Cod, Nantucket und Martha's Vineyard: *Bike Riders, P.O. Box 130254, Boston, MA 02113 | Tel. 617-723-23 54 | Fax 723-23 55 | www.bikeriderstours.com*

Mehrtägige Touren durch Süd- und Nordvermont sowie durch den Acadia National Park: *Vermont Bicycle Touring, 614 Monkton Rd., Bristol, VT 05443-0711 | Tel. 802-457-35 53 | www.vbt.com*

SEGELN

Der Anblick des blauen, von weißen Segeln gesprenkelten Atlantiks gehört zu Neuengland wie Hummer und Boston Beans. Wer über die notwendigen Kenntnisse verfügt, kann sich ein Segelboot ausleihen und selbst auslaufen. Chartergesellschaften entlang der Küste vermieten Boote der verschiedensten Klassen (z.B. *Bay Island Inc., Sharp's Point South, 75 Mechanic St., Rockland, Maine 04841 | Tel. 207-831-84 25 | www.sailme.com).* Wer Ruderpinne oder Steuerrad lieber einem Profi überlässt, kann einen Platz auf einem der vielen historischen Segelschiffe, die hier nur Windjammer heißen, buchen. Angeboten werden dreistündige bis sechstägige Exkursionen (z.B. *Maine Windjammer Cruises, P.O. Box 617, Camden, Maine 04843 | Tel. 207-236-29 38 | www.maine-windjammercruises.com).*

WINTERSPORT

Von Alpinski über Langlauf bis zu romantischen Schlittenfahrten bieten die Berge im schneesicheren Norden Neuenglands die ganze Bandbreite. Die Saison beginnt Mitte Oktober und wird mancherorts mittels Schneekanonen bis Mitte Mai ausgedehnt. Die Skizentren Killington und Stowe in Vermont sowie Sugarloaf in Maine gelten als beste Wintersportreviere Neuenglands. Infos und Webcams: *www.newenglandskiresorts.com*

> KINDER SIND DIE KINGS

Viel Spaß in Neuengland: Achterbahn fahren, Wale beobachten,
Dampflok fahren oder ein Piratenschiff besteigen

> Amerikaner sind traditionell familien-
und kinderfreundlich. Das fängt bei den
menus for kids in den Restaurants an und
hört bei den *kids under 12 stay for free*-
Aktionen der Hotels noch lange nicht auf.
In so gut wie allen touristischen Ecken
Neuenglands gibt es Themenparks mit
weitläufigen Minigolfanlagen, Achterbah-
nen und Karussells. Auch ungewöhnliche
Museen, lange Sandstrände und inspirie-
rende Naturschauspiele werden Ihre Kinder begeistern.

CONNECTICUT UND RHODE ISLAND

BARNUM MUSEUM   [124 B4]

Phineas Taylor Barnum, Amerikas
Showman der ersten Stunde, ist das
liebevoll eingerichtete Museum in
Bridgeport (Connecticut) gewidmet.
Mit dem aus drei Manegen bestehen-
den Zirkus und Nonstop-Programm
wies Barnum den Weg zum totalen
Entertainment. Die Rekonstruktion
des *Three Ring Circus* sowie etliche

Bild: Acadia National Park

MIT KINDERN REISEN

Zirkusmemorabilia faszinieren Jung und Alt. *820 Main St. | Di–Sa 10 bis 16.30, So 12–16.30 Uhr | Eintritt 7 $, Kinder 4–7 3 $ | www.barnum-museum.org*

■■■ MASSACHUSETTS ■■■

RADELN AUF NANTUCKET [125 F4]

Eltern können den radelnden Nachwuchs mehr oder weniger sich selbst überlassen: Auf der kleinen Insel vor der Südküste von Cape Cod gibt es kaum Verkehr. Stattdessen führen von Nantucket-Stadt aus stille Wege und Pfade kreuz und quer über die von niedrigem Gehölz bestandene Insel. Sie enden an langen Sandstränden oder einsamen Leuchttürmen. Oder aber im einzigen Ort der Insel. *Räder ab 30 $ pro Tag | Young's Bicycle Shop, Steamboat Wharf | Tel. 508-228-11 51 | Nantucket Bike Shops, Steamboat Wharf | Tel. 508-228-19 99*

SIX FLAGS NEW ENGLAND [124 C3]

Willkommen bei den Achterbahnen von Six Flags New England! Der *Superman Ride of Steel* war es, der Springfield den Titel *Thrill Capital of New England* eingetragen hat. Tatsächlich gehört die Achterbahn, die 20 Stockwerke hoch ist und ihre Wagen mit Spitzengeschwindigkeiten bis zu 110 km/h Richtung Erde sausen lässt, zu den größten der USA. Andere, nicht minder haarsträubende Rides heißen *Flashback, Mind Eraser* und *Cyclone.* Natürlich kann man sich auch auf eine Bank setzen und den Anhang machen lassen. Aber wäre das denn cool? *Springfield/Agawam, Rte. 159, 1623 Main St. | Eintritt 42 $, Kinder unter 1,35 m 27 $, Parken 11 $ | www.sixflags.com/parks/newengland*

WHYDAH MUSEUM [125 F3]

1717 sank in einem Sturm vor Cape Cod die *Whydah,* das Schiff des berüchtigten Piraten Black Sam Bellamy. Der aus Provincetown stammende Barry Clifford ortete 1983 ihr Wrack und hob es innerhalb mehrerer Jahre fast vollständig – als erstes Piratenschiff überhaupt. In einem kleinen Museum auf der MacMillan Wharf in Provincetown hat Clifford die schönsten Stücke, darunter chinesisches Porzellan und spanische Goldmünzen, ausgestellt. Hochinteressant auch die Erkenntnisse über das Piratenleben vor 300 Jahren: Danach waren Bellamy & Co. keine grausamen Halsabschneider, sondern kühl kalkulierende Geschäftsleute mit einem Faible für die Demokratie. Denn die *Whydah* war in einer Zeit, als Menschenrechte noch ein Fremdwort waren, mit schwarzen Offizieren und einer Besatzung aus aller Welt eine Art schwimmende UN-Versammlung. *MacMillan Wharf, Provincetown | Mai–Okt. tgl. 10–17, Juni–Aug 10–20 Uhr | Eintritt 10 $, Kinder 6–12 8 $ | www.whydah.com*

VERMONT UND NEW HAMPSHIRE

MONTSHIRE MUSEUM OF SCIENCE [122 B4]

Wie erzeugt man künstlich Nebel oder konstruiert ein Gehäuse, in dem ein rohes Ei unversehrt zu Boden fallen kann? Dieses herrliche, am Ufer des Connecticut River in Norwich gelegene Museum beantwortet mit interaktiven Ausstellungen all jene Fragen, vor denen Eltern oft kapitulieren. Zum Museum gehört der weitläufige Science Park mit schönen Spazierwegen. *1 Montshire Rd. | tgl. 10–17 Uhr | Eintritt 10 $, Kinder 2–17 8 $ | www.montshire.net*

MT. WASHINGTON COG RAILWAY [122 C3]

Kinder finden es irre spannend. Dagegen hat so mancher Erwachsene Mühe, die Fassung zu bewahren. Denn wie die Mt. Washington Cog Railway, die seit fast 140 Jahren mit Dampfkraft ihren bunt bemalten Waggon auf das Dach Neuenglands schiebt, die bis zu 37 Grad messenden Steigungen bewältigt, kann es Empfindlichen durchaus den Magen umdrehen. Der Bremser erklärt Kindern gern den Zahnradmechanismus, an dem das Leben der Passagiere hängt. *Marshfield, Base Station, Bretton Woods, Rte. 302 | Mai–Okt. tgl. 9–17 Uhr (wetterabhängig) |*

Eintritt 59 $, Kinder 4–12 39 $ |
www.thecog.com

■ MAINE

BAR HARBOR WHALE WHATCHING [121 E6]

Bar Harbor ist ein guter Ausgangspunkt für Whale-Watching-Touren.
Walzeit ist von Anfang Juni bis Oktober, zu sehen sind vor allem Grau-,
Finn- und Buckelwale, hinzu kommen die kleineren Minkwale, Tümm-
ler und Delphine. Welche Atemfon-
täne welcher Art gehört, erklärt ein
Biologe an Bord der speziell zur Wal-
beobachtung eingerichteten Schiffe. Wie nahe die sanften Riesen kommen, hängt von deren Neugierde ab.
Mit etwas Glück tauchen sie genau
neben dem Schiff auf. Den Skippern

ist es verboten, Wale fürs Erinne-
rungsfoto zu verfolgen. *Bar Harbor
Whale Watch Company, 1 West St. |
Ticket 53 $, Kinder 6–14 26 $ | Tel.
207-288-98 00*

POPHAM BEACH STATE PARK [123 E4] Insider Tipp

Zugegeben: Das Wasser am Strand
wird hier nie wärmer als 19 Grad.
Dafür gibt es selbst im Juli und August reichlich Ellbogenfreiheit. Pop-
ham Beach, als State Park vor Be-
bauung und Kommerzialisierung geschützt, ist mit seinem viele
Kilometer langen Sandstrand und der
vorgelagerten Felseninsel, die bei
Ebbe zu Fuß zu erreichen ist, ein Paradies für Kinder – und für Eltern.
*22 km auf der Rte. 209 südlich von
Bath | tgl. Mitte April–Okt.*

Pirat oder Pilger: Auf Schiffen, wie hier der Mayflower II, gibt es für Kinder viel zu entdecken

> VON ANREISE BIS ZOLL

Urlaub von Anfang bis Ende: die wichtigsten Adressen und Informationen für Ihre Neuenglandreise

ANREISE

Lufthansa fliegt täglich von Frankfurt, Düsseldorf und München nonstop nach New York und von Frankfurt nach Boston. Dazu kommt ein großes Angebot anderer internationaler Fluggesellschaften. Die Flugzeit beträgt 8 bis 10 Stunden.

Die meisten Auslandsflüge landen auf dem John-F.-Kennedy-Flughafen in Queens, etliche auch auf dem Flughafen von Newark/New Jersey. Der kürzeste Weg nach Neuengland führt über die Autobahn I-95. Wer in Boston landet und dort ein paar Tage bleiben möchte, sollte seinen Mietwagen erst bei Fahrtbeginn buchen: Parkplätze sind hier knapp und teuer.

AUSKUNFT VOR DER REISE

DISCOVER NEW ENGLAND

Die deutsche Repräsentanz der Interessenvertretung der sechs Neuenglandstaaten hilft mit Broschüren, Landkarten und Hotelverzeichnissen bei der Reiseplanung. *c/o Buss Consulting, Postfach 1213, 82302 Starnberg | Tel. 08151/73 97 74 | Fax 73 97 85 | www.discoverneweng land.org.*

AUSKUNFT IN NEUENGLAND

DISCOVER NEW ENGLAND

1250 Waterbury Rd., Stowe, VT 05672 | Tel. 802-253-25 00 | Fax 253-90 64 | www.discovernewengland.org

PRAKTISCHE HINWEISE

CONNECTICUT COMMISSION ON CULTURE & TOURISM

One Financial Plaza, 755 Main St., Hartford, CT 06103 | Tel. 1-860-256-28 00 | www.ctvisit.com

MAINE OFFICE OF TOURISM

State House Station 59, Augusta, ME 04333-0059 | Tel. 207-287-57 11 | www.visitmaine.com

MASSACHUSETTS OFFICE OF TRAVEL AND TOURISM

10 Park Plaza, Suite 4510, Boston, MA 02116 | Tel. 617-973-85 00 | Fax 973-85 25 | www.usamass.com

NH DEPARTMENT OF RESOURCES AND ECONOMIC DEVELOPMENT

172 Pembroke Rd., Concord, NH 03302-1856 | Tel. 603-271-26 66 | Fax 271-68 70 | www.visitnh.gov

RHODE ISLAND TOURISM DIVISION

315 Iron Horse Way, Suite 101, Providence, RI 02908 | Tel. 1-800-250-73 84 | Fax 401-273-82 70 | www.visitrhodeisland.com

VERMONT DEPARTMENT OF TOURISM & MARKETING

National Life Bldg., 6th Floor, Montpelier, VT 05620-0501 | Tel. 802-828-32 37 | www.travel-vermont.com

AUTO

Amerikas Straßen sind klassifiziert (County Routes, State Highways, US Highways, Interstates). Die Höchstgeschwindigkeit in New Hampshire, Maine und Vermont beträgt 65 Meilen/h (104 km/h) auf Interstates, 50 Meilen/h (80 km/h) auf Highways; in Connecticut, Massachusetts, Rhode Island und New York (Long Island) auf den meisten Straßen 55 Meilen/h (88 km/h). Der *3-way-* oder *4-way-stop*, eine Kreuzung mit Stoppzeichen aus allen Richtungen, regelt die Vorfahrt nach dem Prinzip: Wer zuerst kommt, fährt zuerst.

BANKEN, GELD & KREDITKARTEN

US-Banken *(meist Mo–Do 10–15, Fr 10–17)* arbeiten nicht als Wechselstuben. Sie lösen Reiseschecks ein und zahlen Bargeld an Kreditkarteninhaber aus. Populärstes Zahlungsmittel sind Kreditkarten. Travellerschecks werden akzeptiert. An den meisten Geldautomaten können Sie mit ec-Karte abheben, was viel billiger ist als mit Kreditkarte.

DIPLOMATISCHE VERTRETUNGEN

GENERALKONSULAT DER BUNDESREPUBLIK DEUTSCHLAND [U B6]

3 Copley Place, Suite 500, Boston | Tel. 617-369-49 34

KONSULAT DER REPUBLIK ÖSTERREICH [U E4]

15 School St., 3rd Floor, Boston | Tel. 617-227-31 31

SCHWEIZER GENERALKONSULAT

633 Third Ave., 30th Floor, New York | Tel. 212-599-57 00

EINREISE

Die visumfreie Einreise *(Visa Waiver Program)* ist nur bei Aufenthalten bis zu 90 Tagen möglich. Folgende Bedingungen müssen zudem erfüllt werden: Der Reisepass muss bei der Einreise noch mindestens für die Dauer des geplanten Aufenthaltes gültig sein. Der Reisepass muss au-

WAS KOSTET WIE VIEL?

- > **KAFFEE**   **AB 2,50 DOLLAR**
  für einen kleinen Café Latte
- > **SNACK**   **AB 4 DOLLAR**
  für ein Chickensandwich
- > **WEIN**   **AB 4 DOLLER**
  für ein Glas Wein
- > **BOOTSTOUR**   **AB 35 DOLLAR**
  für Whale Whatching
- > **BENZIN**   **0,48 CENT**
  für einen Liter
- > **TAXI**   **90 CENT**
  pro Meile

ßerdem maschinenlesbar sein. Jedes Familienmitglied, auch Kleinkinder und Babys, benötigen einen eigenen Reisepass. Seit 2005 müssen die Pässe mit digitalen Fotos versehen sein (biometrische Pässe). Davor ausgestellte Pässe werden akzeptiert, solange sie maschinenlesbar sind. Seit Januar 2009 ist darüber hinaus für alle USA-Reisenden die Online-Registrierung ESTA zwingend erfor-

derlich. Sie muss bis spätestens 72 Stunden vor Reiseantritt online beantragt werden. Eine deutsche Version des ESTA-Genehmigungsverfahrens finden Sie unter *http://esta.usa.de*. Weitere Informationen gibt es unter *http://german.germany.usembassy.gov /germany-ger/visa/esta-faqs.html*. Viele Besucher müssen sich zudem per Fingerabdruck und Digitalfoto am Einreiseflughafen in das US-VISIT-System eintragen. Diese Prozedur dauert nur 15 Sekunden und wird während der Sichtung der Reisedokumente vorgenommen. Aktuelle Infos auch unter *www.us-botschaft.de*.

FKK

Amerika ist prüde, öffentliches Nacktbaden verboten. Es gibt FKK-Strände – abgeteilt und im Besitz privater Vereinigungen.

INTERNET

www.yankeemagazine.com Reportagen, Berichte und Hotel- und Restaurantgeschichten aus Neuengland
www.thephoenix.com Online-Präsenz der Bostoner Stadtzeitung „The Boston Phoenix" mit aktuellen Informationen aus allen öffentlichen Bereichen – weit über Boston hinaus
www.outdoors.com Website des Appalachian Mountain Club – neben praktischen Hiking-Infos jede Menge Updates und Links zu den Umweltschutzaktivitäten des Klubs
www.gorp.com Detaillierte Informationen zu Outdoor-Aktivitäten in Neuengland

INTERNETCAFÉS & WLAN

Hotels, Cafés, Bahnhöfe, Flughäfen und Shopping Malls bieten häufig einen kostenlosen oder preiswerten *Wireless Service* an. In der Regel macht ein kleines Schild im Schaufenster oder in der Tür darauf aufmerksam. Internetcafés für *low tech*-Touristen halten sich jedoch erstaunlich wacker. Verschiedene Websites listen mit Onlineterminals ausgerüstete Cafés und Hotels in den sechs Neuenglandstaaten auf, wie z. B. *www.cybercafés.com* und *www.tra velpost.com*. Onlinezugänge bieten auch die öffentlichen Büchereien *(libraries)* und Kopierläden. In dringenden Fällen gestatten Betreiber von Inns und B & Bs dem Gast die Nutzung ihres Internetanschlusses.

KLIMA

Ein alter Wahlspruch lautet: Wenn dir das Wetter in Neuengland nicht gefällt, warte fünf Minuten, es ändert sich bestimmt. Die Temperaturen reichen von Minusgraden im Januar und Februar bis zu über 30 Grad im Sommer. Der Winter ist schneereich, der Frühling beginnt eher spät. Die Sommer in den Küstenlandstrichen sind schwül, im höher liegenden Hinterland angenehm warm. Der Herbst bietet warme Tage (bis Oktober um die 20 Grad), aber kalte Nächte.

MASSE/GEWICHTE/ GRÖSSEN

Längenmaße: 1 mile = 1,6 km, 1 yard = 0,9 m, 1 foot = 30 cm, 1 inch = 2,5 cm; Flüssigkeiten: 1 cup = 0,24 l, 1 pint = 0,47 l, 1 quart = 0,95 l, 1 gallon = 3,8 l; Gewichte: 1 ounce (oz) = 28,35 g, 1 pound (lb) = 0,453 kg

Die Temperatur wird in Fahrenheit angegeben. In Celsius wird nach folgender Formel umgerechnet: Fahrenheit minus 32 mal 5 geteilt durch 9. Also sind beispielsweise 68 Grad Fahrenheit 20 Grad Celsius.

Kleidergrößen: Bei Damen entspricht US-Größe 4 der deutschen 34, 6 = 36, 8 = 38, 10 = 40, 12 = 42, 14 = 44. Bei den Herren ist US-Größe 36 = 46, 38 = 48, 40 = 50, 42 = 52, 44 = 54 usw.

MIETWAGEN

Rental Cars sind am preisgünstigsten, wenn sie von Deutschland aus

WÄHRUNGSRECHNER

€	US$	US$	€
1	1,36	1	0,73
2	2,72	2	1,47
5	6,80	5	3,68
8	10,88	8	5,88
10	13,59	10	7,36
15	20,40	15	11,03
20	27,19	20	14,71
25	33,99	25	18,39
50	67,98	50	36,78

reserviert werden. Geben Sie den Wagen nicht am Ausgangspunkt ab, berechnen einige Firmen horrende Rückführungsgebühren. Gebührenfreie telefonische Reservierungen: *Avis (Tel. 1-800-331-12 12), Budget (Tel. 1-800-527-07 00), Dollar (Tel. 1-800-421-68 68), Hertz (Tel. 1-800-654-31 31), National (Tel. 1-800-328-45 67)*.

Die Mietwagengesellschaften haben zwar Schalter in den Ankunftshallen der Flughäfen in Boston und New York, die Abholstellen befinden sich jedoch außerhalb der Flughafengebäude und werden von dort aus von mit den Namen der Mietwagengesellschaften deutlich ausgezeichneten Shuttlebussen angefahren.

NOTRUF & NOTARZT

Die Notrufnummer 911 (Polizei und Notarzt) kann von Münzfernsprechern kostenlos angewählt werden. Die Notaufnahmen der Krankenhäuser *(emergency rooms)* müssen Patienten behandeln, auch wenn sie nicht in den USA krankenversichert sind. Das Personal verlangt vor der Behandlung eine Kreditkarte. Am besten schließen Sie eine Reisekrankenversicherung ab.

ÖFFENTLICHE VERKEHRSMITTEL

Die Eisenbahngesellschaft *Amtrak* verbindet New York und Boston. Auskunft – auch über die Bahnpässe, mit denen man günstiger reisen kann – bei den Vertretungen von Amtrak: Jetair in Deutschland, Austria Reiseservice in Wien sowie Kuoni und SSR-Reisen in Zürich. *Greyhound* verbindet viele Städte mit Überlandbuslinien (Auskunft in Reisebüros).

POST

Postämter sind Mo–Fr 9–17, manche auch Sa 9–12 Uhr geöffnet. Briefmarken gibt es auch in Apotheken *(pharmacy)*. Postkarten und Luftpostbriefe nach Europa kosten 80 Cent.

PREISE & WÄHRUNG

Der amerikanische Dollar hat 100 Cent. Scheine *(bills)* gibt es in den Stückelungen 1, 2, 5, 10, 20, 100 Dollar, Münzen *(coins)* in den Stückelungen 1, 5, 10, 25, 50 Cent.

Die Preisspannen in Restaurants und Hotels sind oft größer als in Europa. So können Veranstaltungen, Feiertage und Saisonwechsel die Übernachtungspreise verdoppeln. Auch innerhalb der Saison bieten

WETTER IN BOSTON

Jan.	Feb.	März	April	Mai	Juni	Juli	Aug.	Sept.	Okt.	Nov.	Dez.
3	3	7	13	19	24	27	26	23	17	11	4

Tagestemperaturen in °C

-6	-6	-1	4	10	15	18	18	13	8	3	-4

Nachttemperaturen in °C

4	6	6	8	8	9	9	9	8	7	5	4

Sonnenschein Std./Tag

9	9	8	8	8	8	7	7	6	6	9	9

Niederschlag Tage/Monat

2	1	3	7	12	16	18	19	17	13	9	4

Wassertemperaturen in °C

Hotels oft Zimmer verschiedenster Preisklassen an. Fragen Sie also selbst im Fünf-Sterne-Hotel nach dem *best price*! Fürs Essen sollten Sie 30 bis 50 Dollar pro Tag (ohne Alkohol und Steuern) veranschlagen.

STROM

Netzspannung: 110 Volt/60 Hertz. Kleingeräte (Föhn, Rasierapparat) funktionieren auch mit dieser Spannung. Für diese Geräte brauchen Sie Adapter für US-Steckdosen (aus Deutschland mitbringen).

TELEFON & HANDY

Alle Telefonnummern in den USA sind 7-stellig. Bei Ortsgesprächen wählen Sie nur die Nummer. Davor kommen für Ferngespräche zunächst eine 1 und anschließend eine 3-stellige Vorwahl, der *area code*.

Ortsgespräche aus der Telefonzelle kosten 25–30 Cent, bei Ferngesprächen gibt nach dem Wählen eine Computerstimme die Gebühr an. Vorsicht: In Hotels horrende Aufschläge, auch für Faxe! Preiswerter telefonieren Sie mit einer Telefonkarte, die es für 5, 10, 20 $ usw. an Kiosken und in Gemischtwarenläden (z.B. in den *delis*) zu kaufen gibt.

Achtung: Nur Triband- bzw. Mehrbandhandys funktionieren in den USA. Fragen Sie Ihren Provider in Deutschland, ob Ihr Handy die in den USA verwendete 1900-MHz-Frequenz unterstützt – und falls ja, ob damit auch die gebührenfreien Nummern mit der Vorwahl 1-800 angewählt werden können. Telefonkarten fürs Handy *(prepaid phone cards)* – das in den USA *cell phone* oder *mobile phone* heißt – gibt es im Su-

permarkt zu kaufen. Vorwahl nach Deutschland: 011-49; nach Österreich: 011-43; in die Schweiz: 011-41; Vorwahl in die USA: 001.

Im Cabrio zum Mt. Washington Hotel

TRINKGELD

Restaurantpreise sind ohne Bedienungsgeld. Daher 15 Prozent *tip!*

ZEIT

Eastern Standard Time: Mitteleuropäische Zeit (MEZ) – 6 h. Sommerzeit (+ 1 h): 1. Sonntag im April bis letzter Sonntag im Oktober.

ZOLL

Pflanzen und frische Lebensmittel dürfen nicht eingeführt werden. Erlaubt sind pro Erwachsenen 200 Zigaretten oder 50 Zigarren oder 2 kg Tabak sowie 1 l Spirituosen und Geschenke für 100 $. In EU-Länder zollfrei eingeführt werden dürfen: 1 l Alkohol über 22 Prozent, 200 Zigaretten oder 50 Zigarren oder 250 g Tabak, 50 g Parfüm oder 250 ml Eau de Toilette und andere Artikel (außer Gold) im Gesamtwert von 430 Euro. Weitere Infos: *www.zoll.de*

„Sprichst du Englisch?" Dieser Sprachführer hilft Ihnen,
die wichtigsten Wörter und Sätze auf Englisch zu sagen

Aussprache

Zur Erleichterung der Aussprache sind alle englischen Begriffe und Wendungen mit
einer einfachen Aussprache (in eckigen Klammern) versehen. Folgende Zeichen sind
Sonderzeichen:
- ə   nur angedeutetes „e" wie in bitte
- θ   [s] gesprochen mit der Zungenspitze zwischen den Zähnen
- '   die nachfolgende Silbe wird betont

AUF EINEN BLICK

Ja/Nein	Yes [jäs]/Yeah [jie]/No [no]
Vielleicht	Perhaps [pö'häps]/Maybe ['mäibih]
Bitte/Danke	Please [plihs]/Thank you ['änkju]
Gern geschehen.	You're welcome. [jər 'wälkəm]
Entschuldigung!	Excuse-me! [iks'kjuhs 'mih]
Wie bitte?	Pardon? ['paərdn]
Ich verstehe Sie/dich nicht.	I don't understand. [ai dont andö'ständ]
Ich spreche nur wenig …	I only speak a little …
	[ai 'onli spihk ə litl]
Können Sie mir bitte helfen?	Can you help me, please?
	['kən ju 'hälp mi plihs]
offen/geschlossen	open ['əupn]/closed [kləusd]
drücken/ziehen	push [pusch]/pull [pull]
Eingang/Ausgang	entrance ['äntrəns]/exit ['ägsit]

KENNENLERNEN

Guten Morgen!	Good morning! [gud 'moərning]
Guten Tag!	Good afternoon! [gud äftö'nuhn]
Guten Abend!	Good evening! [gud 'ihwning]
Hallo! Grüß dich!	Hello! [hə'lo]/Hi! [hai]
Mein Name ist …	My name's … [mai näims …]
Wie ist Ihr/Dein Name?	What's your name? [wots joər 'näim]
Wie geht es Ihnen/dir?	How are you? [haur'ju]
Danke. Und Ihnen/dir?	Fine thanks. And you?
	['fain θänks, ənd 'ju]
Auf Wiedersehen!	Goodbye!/Bye-bye! [gud'bai/bai'bai]
Tschüss!	See you!/Bye! [sih ju/bai]
Bis bald!	See you later! [sih ju 'lätər]
Bis morgen!	See you tomorrow! [sih ju tə'məro]

SPRACHFÜHRER
ENGLISCH

AUSKUNFT

links/rechts — left [läft]/right [rait]
geradeaus — straight ahead [sträit 'əhäd]
nah/weit — near [niər]/far [faər]
Bitte, wo ist … — Excuse me, where's …, please?
[iks'kjuhs 'mih 'weərs … plihs]

  … der (Bus-) Bahnhof? — … the train/bus station …
    [θə'träən/bass 'stäischn]

  … die U-Bahn? — … the subway … [θə 'sabwä]
  … der Flughafen? — … the airport … [θə 'erpoht]
Wie weit ist das? — How far is it? ['hau 'far‡is‡it]
Ich möchte ein Auto mieten. — I'd like to rent a car.
[aid'laik tə 'ränt ə 'kaər]

AUTO

Ich habe eine Panne. — My car's broken down.
[mai 'kaərs 'brokn 'daun]

Gibt es hier in der Nähe eine Werkstatt? — Is there a service station nearby?
['is θeə‡ə 'söəwis stäischn 'nirbai]
Wo ist die nächste Tank-stelle? — Where's the nearest gas station?
['weəs θə 'niərist 'gäs stäischn]
Ich möchte … Liter/Gallonen [3,8l] … — … liters/gallons of …['lihtərs/gäləns əw]
  … Normalbenzin. — … regular, [regjulər]
  … Super. — … premium, [primium]
  … Diesel. — … diesel, ['dihsl]
  … bleifrei/verbleit. — … unleaded/leaded, please.
[an'lädid/'lädid plihs]

Voll tanken, bitte. — Full, please. ['full plihs]

UNFALL

Hilfe! — Help! [hälp]
Achtung! — Attention! [ə 'tänschn]
Rufen Sie bitte … — Please call … ['plihs 'kahll]
  … einen Krankenwagen. — … an ambulance. [ən 'ämbjuləns]
  … die Polizei. — … the police. [θə pə'lihs]
Es war meine Schuld. — It was my fault. [it wəs 'mai 'fahllt]
Es war Ihre Schuld. — It was your fault. [it wəs 'johər 'fahllt]
Geben Sie mir bitte Ihren Namen und Ihre Anschrift. — Please give me your name and address.
[plihs giw mi joər 'näim ənd ə'dräs]

Montag/Dienstag — Monday ['mandäi]/Tuesday ['tjuhsdäi]
Mittwoch — Wednesday ['wänsdäi]
Donnerstag/Freitag — Thursday ['θöhsdäi]/Friday ['fraidäi]
Samstag/Sonntag — Saturday ['sätədäi]/Sunday ['sandäi]
heute/morgen — today [tə'däi]/tomorrow [tə'morəu]
täglich — every day ['äwri 'däi]/daily ['däili]
Wie viel Uhr ist es? — What time is it? [wot 'taim‡is‡it]
Es ist 3 Uhr. — It's three o'clock. [its 'θrih‡ə'klok]
Es ist halb 3. — It's half past two. [its 'hahf pahst tuh]
Es ist Viertel vor 3. — It's quarter to three. [its 'kwohtə tə 'θrih]
Es ist Viertel nach 3. — It's quarter past three.
[its 'kwohtə pahst 'θrih]

Die Speisekarte, bitte. — May I have the menu, please.
['mäi ai häw θə 'mänjuh plihs]
Ich nehme … — I'll have … [ail häw]
Bitte ein Glas … — A glass of …, please
[ə 'glahs‡əw … plihs]
Besteck — cutlery ['katləri]
Messer/Gabel/Löffel — knife [naif]/fork ['fohk]/spoon ['spuhn]
Vorspeise — hors d'œuvre [oh'döhwr]/
starter ['stahtə]
Hauptgericht — main course ['mäin 'kohs]/
entrée [əntre]
Nachspeise — dessert [di'söht]
Salz/Pfeffer — salt [sohlt]/pepper ['päpə]
scharf — hot [hot]/spicy [spaisi]
Ich bin Vegetarier/in. — I'm a vegetarian.
[aim a ˌwädschi'teəriən]
Trinkgeld — tip [tip]
Die Rechnung, bitte. — May I have the check, please?
['mäi ai häw θə 'tschek plihs]

Wo finde ich … — Where can I find … ['weə 'kən‡ai 'faind]
… eine Apotheke? — … a pharmacy? [ə 'famaßi]
… eine Bäckerei? — … a bakery? [ə bäikəri]
… einen Markt? — … a market? [ə 'mahkit]
Haben Sie …? — Do you have …? [dju 'həw]
Ich möchte … — I'd like … [aid 'laik]
Ein Stück hiervon, bitte. — A piece of this, please.
[ə pihs əw θis plihs]

SPRACHFÜHRER

Eine Einkaufstüte, bitte.	A bag, please. [ə bäg plihs]
Das gefällt mir (nicht).	I (don't) like it. [ai (dɔunt) laik‡it]
Wie viel kostet es?	How much is it? ['hau 'matsch is it]
Nehmen Sie Kreditkarten?	Do you take credit cards?
	[du‡ju täik 'kräditkahds]

ÜBERNACHTEN

Ich habe bei Ihnen ein	I've reserved a room.
Zimmer reserviert.	[aiw ri'söhwd‡ə 'ruhm]
Haben Sie noch Zimmer frei?	Do you have any vacancies?
	[dju 'həw äni 'wäikənsis]
ein Einzelzimmer	a single room [ə 'singl ruhm]
ein Doppelzimmer	a double room [ə 'dabl ruhm]
mit Dusche/Bad	with a shower/bath
	[wiθ ə 'schauə/'bahθ]
Was kostet das Zimmer?	How much is the room?
	['hau 'matsch is θə ruhm]
Frühstück	breakfast ['bräkfəst]
Vollpension	American Plan ['amerikan plän]

PRAKTISCHE INFORMATIONEN

Können Sie mir einen	Can you recommend a doctor?
Arzt empfehlen?	[kən ju ˌräkə'mänd ə 'doktə]
Ich habe hier Schmerzen.	I've got pain here. [aiw got päin 'hiə]
Ich habe Durchfall.	I've got diarrhoea. [aiw got daiə'riə]
Kinderarzt	pediatrician [ˌpihdiə'trischn]
Zahnarzt	dentist ['däntist]
Eine Briefmarke, bitte.	One stamp, please. [wan stämp 'plihs]
Wo ist bitte …	Where's … , please? ['weəs … 'plihs]
… die nächste Bank?	… the nearest bank [θə 'niərist 'bänk]
… der nächste Geldautomat?	… the nearest ATM
	[θə 'niərist 'äitiem]

ZAHLEN

1	one [wan]	11	eleven [i'läwn]	
2	two [tuh]	12	twelve [twälw]	
3	three [θrih]	20	twenty ['twänti]	
4	four [foh]	50	fifty ['fifti]	
5	five [faiw]	100	a (one) hundred [ə ('wan) 'handrəd]	
6	six [siks]	200	two hundred ['tuh 'handrəd]	
7	seven ['säwn]	500	five hundred ['faiw 'handrəd]	
8	eight [äit]	1000	a (one) thousand [ə ('wan) 'θausənd]	
9	nine [nain]	1/2	a half [ə 'hahf]	
10	ten [tän]	1/4	a (one) quarter [ə ('wan) 'kwohtə]	

Fähre in Old Sturbridge Village

> UNTERWEGS IN NEUENGLAND

Die Seiteneinteilung für den Reiseatlas finden Sie auf
dem hinteren Umschlag dieses Reiseführers

REISE
ATLAS

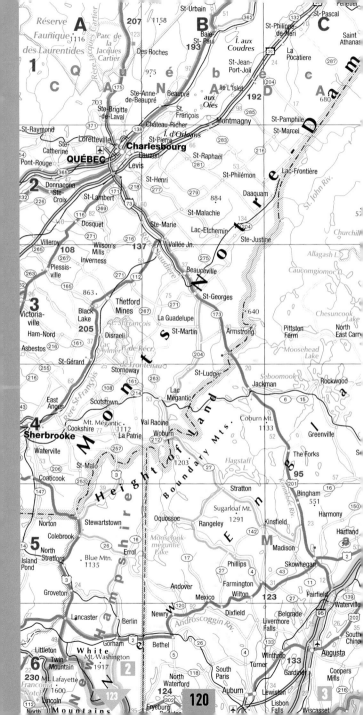

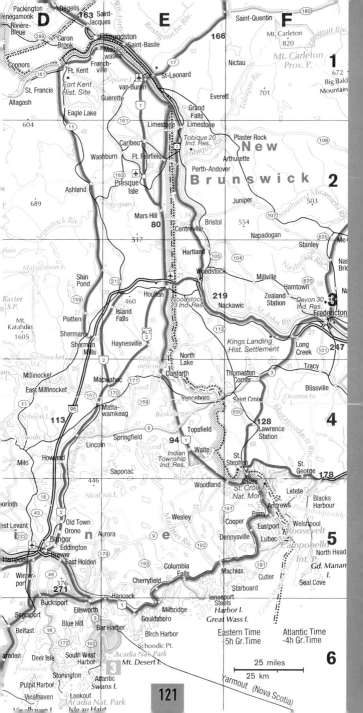

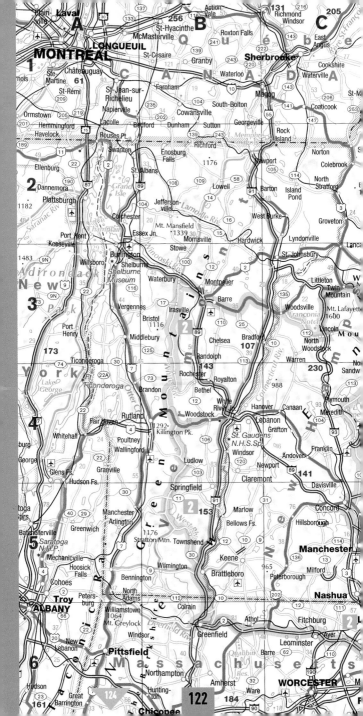

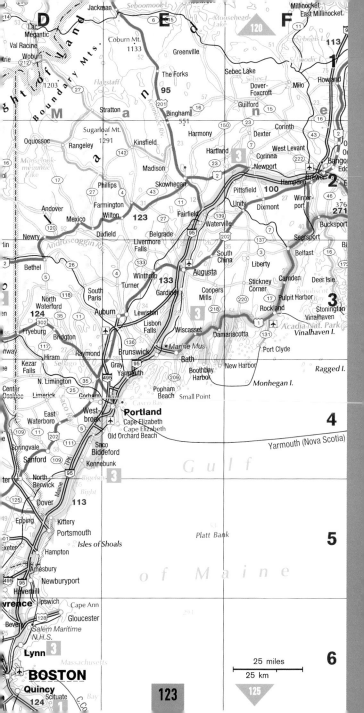

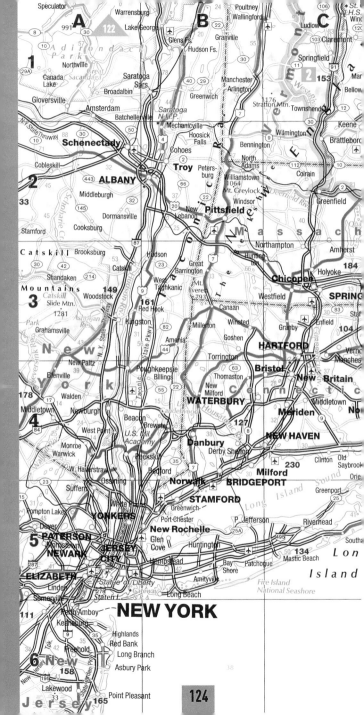

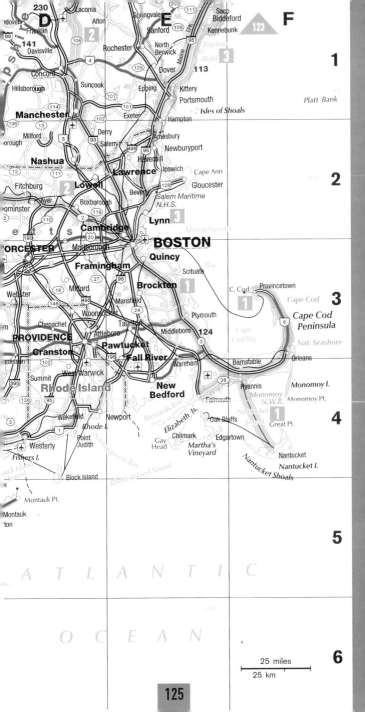

D   E   F

230
Laconia
Alton
Springvale
Saco
Biddeford
Kennebunk
123

1

Franklin
Sanford
89
141
Davisville
106
Rochester
North
Berwick
95
Bigelow
Bight
3
Concord
4
125
Dover
113
Platt Bank
Hillsborough
Suncook
Epping
Kittery
Isles of Shoals
107
Portsmouth
Manchester
114
102
101
Exeter
Hampton
136
13
Milford
93
Derry
Amesbury
borough
3
Salem
Newburyport

2

Nashua
495
95
12
111
57
Haverhill
Ipswich
Cape Ann
Fitchburg
Lawrence
Beverly
Gloucester
Lowell
128
Ayer
110
Boxborough
Salem Maritime
ominster
119
N.H.S.
2
190
2
Cambridge
Lynn
Massachusetts
20
ORCESTER
Marlborough
BOSTON

3

Webster
16
Framingham
Quincy
27
Scituate
C. Cod
Provincetown
95
Bay
1
Cape Cod
146
Milford
Brockton
1
495
Mansfield
Cape Cod
Woonsocket
24
Plymouth
6
Peninsula
Chepachet
Taunton
Nat. Seashore
PROVIDENCE
Attleboro
Middleboro
124
Cape
Cranston
Pawtucket
3
Cod Bay
102
195
Fall River
Barnstable
Orleans
anielson
West Warwick
Wareham
28
Rhode Island
395
New
Hyannis
Monomoy I.
138
75
95
Bedford
Falmouth
Monomoy
Monomoy Pt.
2
Wakefield
Newport
Buzzards Bay
N.W.R.

4

Rhode I.
Elizabeth Is.
Oak Bluffs
1
Point
Judith
Chilmark
Edgartown
Great Pt.
Westerly
Gay
Head
Martha's
Fishers I.
Vineyard
Nantucket
ock Island
Nantucket I.
Nantucket Shoals
Montauk Pt.
Block Island
Rhode Island Sound
Montauk
ton

5

A T L A N T I C

6

O C E A N

25 miles
25 km

125

KARTENLEGENDE

Autobahn, mehrspurige Straße - in Bau Highway, multilane divided road - under construction		Autoroute, route à plusieurs voies - en construction Autopista, carretera de más carriles - en construcción
Gebührenpflichtige Straße - in Bau Toll road - under construction		Route à péage - en construction Carretera de peaje - en construcción
Fernverkehrsstraße - in Bau Trunk road - under construction		Route à grande circulation - en construction Ruta de larga distancia - en construcción
Hauptstraße Principal highway		Route principale Carretera principal
Nebenstraße Secondary road		Route secondaire Carretera secundaria
Fahrweg, Piste Practicable road, track		Chemin carrossable, piste Camino vecinal, pista
Straßennummerierung Road numbering	① 48 ⑴ ㉖ 26	Numérotage des routes Numeración de carreteras
Entfernungen in mi. (USA), in km (CDN) Distances in mi. (USA), in km (CDN)	259 130 129	Distances en mi. (USA), en km (CDN) Distancias en mi. (USA), en km (CDN)
Höhe in Meter - Pass Height in meters - Pass	1365	Altitude en mètres - Col Altura en metros - Puerto de montaña
Eisenbahn - Eisenbahnfähre Railway - Railway ferry		Chemin-de-fer - Ferry-boat Ferrocarril - Línea marítima
Autofähre - Schifffahrtslinie Car ferry - Shipping route		Bac autos - Ligne maritime Transportador de automóviles - Ferrocarriles
Wichtiger internationaler Flughafen - Flughafen Major international airport - Airport	✈ ✈	Aéroport importante international - Aéroport Aeropuerto importante internacional - Aeropuerto
Internationale Grenze - Provinzgrenze International boundary - Province boundary		Frontièr nationale - Limite ou de província Frontera nacional - Frontera provincial
Unbestimmte Grenze Undefined boundary		Frontièr d'Etat non définie Frontera indeterminada
Zeitzonengrenze Time zone boundary	-4h Greenwich Time -3h Greenwich Time	Limite de fuseau horaire Limite del huso horario
Hauptstadt eines souveränen Staates National capital	**WASHINGTON**	Capitale nationale Capital de un estado soberano
Hauptstadt eines Bundesstaates Federal capital	**BOSTON**	Capitale d'un état fédéral Capital de estado
Sperrgebiet Restricted area		Zone interdite Zona prohibida
Indianerreservat - Nationalpark Indian reservation - National park		Réserve d'indiens - Parc national Reserva de indios - Parque nacional
Antikes Baudenkmal Ancient monument	∴	Monuments antiques Yacimiento arqueológico
Sehenswertes Kulturdenkmal Interesting cultural monument	★ *Fort Kent*	Monument culturel intéressant Monumento cultural de interés
Sehenswertes Naturdenkmal Interesting natural monument	⋆ *Cape Cod*	Monument naturel intéressant Monumento natural de interés
Brunnen Well		Puits Pozo
Ausflüge & Touren Excursions & tours		Excursions & tours Excursiones & rutas

In diesem Register sind alle in diesem Reiseführer erwähnten Orte, Ausflugsziele sowie wichtige Begriffe verzeichnet. Halbfette Seitenzahlen verweisen auf den Haupteintrag, kursive auf ein Foto.

> SCHREIBEN SIE UNS!

Liebe Leserin, lieber Leser,

wir setzen alles daran, Ihnen möglichst aktuelle Informationen mit auf die Reise zu geben. Dennoch schleichen sich manchmal Fehler ein – trotz gründlicher Recherche unserer Autoren/innen. Sie haben sicherlich Verständnis, dass der Verlag dafür keine Haftung übernehmen kann.

Wir freuen uns aber, wenn Sie uns schreiben.

Senden Sie Ihre Post an die MARCO POLO Redaktion, MAIRDUMONT, Postfach 31 51, 73751 Ostfildern, info@marcopolo.de

IMPRESSUM

Titelbild: Kirche in New Hampshire (Getty Images/Stone: Siegfried Layda)
Fotos: Beehive (99 u.r.); Boston Duck Tours (98 u.r.); M. Braunger (U. M., 2 l., 3 l., 11, 24/25, 27, 51, 66, 71, 80, 84, 85, 100/101); Drug Rug (15 u.); © fotolia.com: Volker Gerstenberg (98 M.r.), Walter Luger (99 o.l.); F. M. Frei (22, 38, 42/43, 76/77, 82, 88, 93); Getty Images/Stone: Siegfried Layda (1); HB Verlag: Modrow (3 M., 18, 22/23, 32, 37, 44, 53, 55, 103, 104/105, 107, 113, 118/119); O. Helmhausen (131); A. Hochmuth (4 r., 59); Huber: Huber (64/65); Improvasylum: Claire Folger (99 M.r.); © iStockphoto.com: Lior Filshteiner (98 o.l.), Juanmonino (98 M.l.), Robert Young (13 o.); Jodi Hilton, Documentary & News Photography (12 u.); john horner photography (99 M.l.); Lade: KaKi (U. r., 5), Postl (75), Thompson (97); Laif: Heeb (4 l., 6/7, 29, 48, 54, 60, 68), Kristensen (94/95), Modrow (8/9, 16/17, 35); L'Andana: Leo Gozbekian (13 u.); La Terra Magica: Vollmer (20, 28, 28/29, 57, 63, 73, 78); Michael Lingelbach (12 o.); Look: age fotostock (41), TerraVista (30/31); Mauritius: Aqua Images (26), Macia (86/87); Meichi Peng Design Studio (14 M.); Okapia: Gohier (91), Krasemann (2 r.); PlanetTran: Seth Riney (14 o.); Rose Fitzgerald Kennedy Greenway (15 o.); Schapowalow: Heaton (23); Schuster: Harding (U. l.), Layda (3 r.); Starwood Archive (14 u.); Transglobe: Harris (47)

8., aktualisierte Auflage 2009
© MAIRDUMONT GmbH & Co. KG, Ostfildern
Chefredaktion: Michaela Lienemann, Marion Zorn
Autor: Ole Helmhausen; Redaktion: Karin Liebe
Programmbetreuung: Jens Bey, Silwen Randebrock; Bildredaktion: Barbara Schmid, Gabriele Forst
Szene/24h: wunder media, München
Kartografie Reiseatlas: © MAIRDUMONT, Ostfildern
Innengestaltung: Zum goldenen Hirschen, Hamburg; Titel/S. 1–3: Factor Product, München
Sprachführer: in Zusammenarbeit mit Ernst Klett Sprachen GmbH, Stuttgart, Redaktion PONS Wörterbücher
Das Werk einschließlich aller seiner Teile ist urheberrechtlich geschützt. Jede urheberrechtsrelevante Verwertung ist ohne Zustimmung des Verlages unzulässig und strafbar. Das gilt insbesondere für Vervielfältigungen, Übersetzungen, Nachahmungen, Mikroverfilmungen und die Einspeicherung und Verarbeitung in elektronischen Systemen.
Printed in Germany. Gedruckt auf 100 % chlorfrei gebleichtem Papier

FÜR IHRE NÄCHSTE REISE
Ihre Reisecheckliste

Haben Sie alles im Gepäck?

- Reiseunterlagen (Tickets, Buchungsbelege, Bestätigungen)
- ELVIA Reiseschutz
- Impfausweis
- Krankenkassenkarte
- Reisepass
- Führerschein
- Kopien aller Papiere (zur Sicherheit)
- Einreise-Visum (falls erforderlich)
- Wichtige Telefonnummern
- Bank-, Kreditkartensperrnummern
- Kredit- bzw. ec-Karten
- Medikamente / Reiseapotheke
- Kulturbeutel (evtl. Kontaktlinsenmittel, Gehörschutz, Kondome)

- Sonnenbrille, Ersatzbrille
- Fotoapparat, Videokamera
- Adapter für Fön, Rasierer
- Sonnencreme
- Reisewaschmittel
- Nähzeug
- Wörterbuch
- Lieblingslektüre
- MP3- und / oder CD-Player
- Straßenkarte

Der freie Journalist Ole Helmhausen lebt seit 1993 in der kanadischen Stadt Montréal. Neuengland liegt quasi vor seiner Haustür.

Was reizt Sie an Neuengland?

Neuengland ist Amerika mit heruntergefahrenem Lautstärkeregler. Auf dem ersten Blick wirkt es sehr europäisch, die Leute recyceln, fahren benzinsparende Kleinwagen aus Europa und Japan, essen gesund. Zugleich ist diese Gegend die wohl amerikanischste des ganzen Landes. Schließlich wurde hier alles vorgedacht und -gemacht, was Amerika geprägt hat: die politische Unabhängigkeit, die amerikanische Literatur, der amerikanische Traum, der Glaube an die Auserwähltheit. Eine faszinierende Mischung.

Und was mögen Sie dort nicht so?

Das Frühjahr. Die Neuengländer nennen es *mud season*, also Schlammsaison, wegen der Schneeschmelze.

Was machen Sie beruflich?

Ich schreibe Reportagen aus Nordamerika für deutsche Magazine.

Kommen Sie viel in Neuengland herum?

Ich bin in 45 Minuten in Vermont oder New Hampshire. Neuengland liegt für mich näher als die kanadischen Nachbarprovinzen, ja selbst die nächsten Großstädte Québec City und Ottawa. Da liegt es auf der Hand, dass ich oft „drüben" bin.

Wo sind Sie am liebsten?

Meine Lieblingsziele sind Boston und das North End, der Kunst und des italienischen Essens wegen; die Küste von Maine wegen wildromantischer Spaziergänge; die White Mountains wegen der phantastischen Wanderwege; und Provincetown auf Cape Cod, die liberalste Stadt nördlich von Key West!

Was machen Sie in Ihrer Freizeit?

Meine freien Tage verbringe ich am liebsten im Garten. Während der Recherche zu einer Geschichte über Steinadler wurde ich zum *birder*, zum Vogelbeobachter. Zwar landen bei mir keine Greifvögel, aber Blauhäher und Rote Kardinäle schaffen es in die Fliederbüsche. Sie zu beobachten und kleine Biotope für sie anzulegen ist für mich die erholsamste Beschäftigung der Welt.

Und Ihr Lieblingsessen in Neuengland?

Cholesterin hin, Eiweiß her, ich denke lieber an den hohen Zink-, Vitamin-B-12- und Vitamin-E-Gehalt, wenn ich Hummer bestelle und dazu ein Glas Riesling. Meine Leib- und Magenspeise. Schwach werde ich auch bei *Boston Cream Pie*. Das ist ein Kuchen mit viel Pudding, Creme und Schokoladenglasur. Auch nicht gerade gesund, dafür aber richtig gut!

> BLOSS NICHT!

Was Sie in Neuengland und auf Long Island vermeiden sollten

Sentimental werden

Lassen Sie sich bei Städtenamen wie Berlin (in Connecticut und New Hampshire) oder Dresden (Maine) nicht von allzu großer Neugier und Sentimentalität leiten. In amerikanischen Städten mit deutschen Namen ist nichts vom historischen Hintergrund zu spüren. Deutsche Einwanderer haben sich sogar stärker assimiliert als die meisten anderen Nationalitäten.

Sich wortlos zu Fremden setzen

Früher oder später werden Sie in Neuengland auch in einem typischen B & B absteigen. Am nächsten Morgen kommen Sie möglicherweise nicht umhin, sich einen Tisch mit anderen, Ihnen fremden Gästen zu teilen. In dieser Situation gehört es in den USA zum guten Ton, sich kurz mit Vornamen vorzustellen und zu sagen, woher man kommt. Sich wortlos dazu zu setzen, wird als *rude*, als unhöflich, wahrgenommen. Eine Unterhaltung kommt danach automatisch in Gang.

Schnelle Wetterwechsel unterschätzen

Die White Mountains, aber auch die Green Mountains sind berüchtigt für ihre schnellen Wetterumschwünge. Wer dort bereits müde und verschwitzt in ein Unwetter bei rasch sinkenden Temperaturen gerät, sollte auf den rapiden Verlust von Körperwärme bzw. Unterkühlung vorbereitet sein. Bei den ersten Anzeichen (Müdigkeit, verlangsamtes Denken) sollten Sie sofort etwas Warmes überziehen.

Leichtsinnig sein

In Neuenglands Großstädten wie Boston, Hartford, New Haven, Bridgeport oder Providence sollten Sie nachts nicht durch fremde Stadtteile fahren. Mag auch auf dem Land Neuenglands gepflegter Eindruck zu einer gewissen Sorglosigkeit verleiten – in den Metropolen ist die Kriminalitätsrate wie fast überall in den USA ziemlich hoch. Und Touristen sind nun einmal die bevorzugten Opfer von Überfällen.

Die Gefahren des Waldes unterschätzen

So sehr der Wald in Neuengland europäischen Forstpflanzungen ähnelt, so wenig ist er damit zu vergleichen. Zecken, die die heimtückische Lymekrankheit übertragen können (mögliche Folge: Hirnhautentzündung), gehören zu den auch in Deutschland bekannten Gefahren beim Spaziergang durch den Wald. Tollwütige Waschbären sowie giftiger Efeu *(poison ivy)* bilden da schon unbekanntere Herausforderungen. Eine ständige Plage sind bei warmem Wetter Stechmücken. Spezielle Cremes und Lotionen lindern zumindest deren Attacken. Gegen die anderen Unannehmlichkeiten können Sie sich – wenn überhaupt – vor allem mit einer Kopfbedeckung und fester Kleidung schützen.